AND BRIDGES
SPANNED
THE WATERS' WIDTH...

МОСТЫ ПОВИСЛИ
НАД ВОДАМИ...

AURORA ART PUBLISHERS·LENINGRAD
ИЗДАТЕЛЬСТВО «АВРОРА»·ЛЕНИНГРАД

72C
M 84

Compiled by Ye. PLIUKHIN and A. PUNIN
Introduced by A. PUNIN
Photographs, design and lay-out by Ye. PLIUKHIN

Авторы-составители Е. В. ПЛЮХИН, А. Л. ПУНИН
Автор текста А. Л. ПУНИН
Фотографии, оформление и макет Е. В. ПЛЮХИНА

М $\frac{80103-762}{023(01)-77}$ без объявления

If Leningrad is known as the City of Bridges, there is every reason for the name, for sixty-eight rivers, canals and creeks criss-cross it in all directions, cutting it up into forty-two islands, large and small. Here, in the delta where the Neva spills its waters into the Gulf of Finland, Peter I resolved to found a new city, the first Russian port on the shores of the Baltic, which would provide Russian shipping with access to Western Europe and the Seven Seas. Before construction could begin it was necessary to drain the marshy shores of the delta, which barely rose above sea level; and a network of canals was dug for the purpose. These canals, together with the Neva's natural branches and channels, such as the Fontanka, Moika, Zhdanovka, Bolshaya Nevka and others, turned the town of St. Petersburg into a northern version of Venice. Its system of waterways served as an auxiliary transport network, carrying a heavy traffic of passenger boats and barges laden with all the goods that the rapidly growing capital of Russia needed.

Later, in the nineteenth century, some of the canals were filled up or channelled into underground pipes and paved over. But most remained, including, among others, the Griboyedov, Kriukov, Swan, Winter and Obvodny canals.

In Leningrad proper, not counting the suburbs, there are nearly three hundred bridges today, railway bridges and overpasses excluded. Some thirty are in the custody of the State as architectural monuments. Among these are the monumental eighteenth century stone bridges with their romantic towers, the graceful arch and suspension bridges of the first three decades of the nineteenth century, and the Anichkov Bridge with its famous sculptures. As for the city's modern bridges, built after the October Revolution, many are outstanding specimens of engineering and architecture; they are for the most part constructed of steel and reinforced concrete, and are notable for their graceful lines and their original and bold design.

Leningrad's bridges are an integral part of its panorama. It is impossible to imagine Leningrad without its bridges: one might just as well try to visualize New York without its skyscrapers or Egypt without its pyramids.

St. Petersburg was founded on May 16 (27), 1703, when the corner-stone of the future Peter and Paul Fortress was laid on Hares' (Zayachy) Island. Simultaneously the construction of timber dwellings started on the right bank of the Neva, on Gorodovoy Island which now forms part of the so-called Petrograd Side.

At the same time, apparently, a pontoon timber bridge was built to link the fortress with Gorodovoy Island. It was the newly-founded city's first bridge; its decking rested on logs laid on wooden barges. In 1706 construction was begun on new brick bastions for the Peter and Paul Fortress, and it was decided to replace the pontoon bridge with a more durable structure, also of timber but resting on piles. A German traveller visiting St. Petersburg in 1710—11 described the new structure as "an excellent movable bridge, about three hundred paces

long, with two bascule spans". In 1738 it was rebuilt again: the timber middle section was left intact, but at either end masonry arches were built (they are still visible, though their spans have been filled up long since); these arches formed the abutments of the present Ioannovsky Bridge connecting the Petrograd Side with the Ioannovsky Gate at the eastern end of the fortress.

Ioannovsky Bridge as we know it today, though a direct descendant, so to speak, of the one built in Peter I's lifetime, looks quite different: new timber piles now support girders of steel. In the 1950s the bridge was decorated with handsome metalwork lanterns and railing, imitating specimens current in the first quarter of the nineteenth century.

In 1713 a major road was laid through the forests and swamps of the Neva's left bank towards the Admiralty building. This was the future Nevsky Prospekt, the city's most important thoroughfare. Where the road was blocked by the Fontanka a timber bridge was launched in 1715. In those days the Fontanka marked the city limits, and a military post was maintained on the spot. The bridge had been built by a company of soldiers under the command of a lieutenant-colonel named M. Anichkov, and so it came to be known as Anichkov Bridge, a name it has retained to this day despite the frequent capital reconstructions it has undergone. The banks of the Fontanka around its intersection with the new thoroughfare

were so swampy at the time that the original Anichkov Bridge was four times longer than the present structure.

Two or three years later, a second timber bridge was built, this time at the intersection of the new thoroughfare and the Moika. It was painted green at one time, and was accordingly known as the Green Bridge. In the 1770s, however, a residence for the Chief General of the St. Petersburg police department was erected near this bridge, and the latter came also to be known as the Police Bridge.

By 1749 there were some forty timber bridges in the city, about half of which were movable bridges of the bascule type. Many had been designed by Harman van Boles, the civil engineer who had built, in the late 1710s, the tall wooden spires of the Admiralty and the SS. Peter and Paul Cathedral. It is noteworthy that even in Peter I's day timber bridges were often of standard design.

In the early decades of the eighteenth century traffic across the Neva was carried on by boat in the warm season and over the ice in winter. Building a bridge across the main channel of the Neva was a serious engineering problem; besides, Peter himself realized that such a bridge would interfere with shipping. But the city kept growing, and the need of a bridge was becoming more and more pressing. Finally, in 1727, a pontoon timber bridge was built to link the banks of the Neva next to St. Isaac's Square, approximately where the famous Bronze Horseman — a monument to Peter I — now stands.

This bridge lasted only to the end of the autumn, however, and for the following five years no effort was made to relaunch the bridge. In 1732, artillery lieutenant F. Palchikov hastily built a pontoon bridge on the same spot. There was no time to procure the special kind of pontoons needed, so that privately owned barges had to be requisitioned instead, and it was only a year later that a pontoon bridge of the regular type was floated. Since then, down to the middle of the nineteenth century the St. Isaac's pontoon bridge was floated every year, at first only during the warm season, then, from 1779 on, in winter as well; channels specially hewn in the ice were used for the purpose. Twice a year, however, during freeze-up and ice drift, the bridge had to be hauled ashore to keep the wooden pontoons from being crushed.

When the reconstruction of St. Isaac's Bridge was undertaken, in 1820, by A. Bétencourt and G. Traitteur, masonry abutments were built at either approach, faced with granite and embellished with handsome curving stairways. They can still be seen today where the quay juts outward at two points: opposite the Bronze Horseman and near the former Riding House across the river.

The bridge ceased to exist long ago. On June 11, 1916, it caught fire from the sparks of a passing steamer and burned down.

During the eighteenth and nineteenth centuries the Neva's main stream and northern effluents, the Bolshaya (Big), Sredniaya (Middle) and Malaya (Small) Nevkas, were spanned by several timber pontoon bridges. In 1758 the Tuchkov Bridge was built between Vasilyevsky Island and Gorodovoy Island (now part of the Petrograd Side); and in 1786, the Voskresensky (Resurrection) Bridge joining the left bank of the Neva and the Vyborg Side not far from the present Lenin Square. In 1760 the Stone Island (Kamenno-Ostrovsky) Bridge was built over the Malaya Nevka and in 1786 — the Stroganov Bridge over the Bolshaya Nevka near Stone Island (Kamenny Ostrov);

and in 1825 the district around the Field of Mars was linked with the Petrograd Side by a pontoon bridge known as the Troitsky (Trinity) Bridge.

All these bridges were subsequently replaced with permanent structures, initially made of timber and later of steel.

Not a single pontoon bridge exists in Leningrad now, though timber-pier bridges are still to be found at the Peter and Paul Fortress, on the Kirov Islands and along the Obvodny Canal. Fewer and fewer of these remain, however, for timber is not so durable a material, and each passing year sees these old bridges being replaced here and there with modern, more permanent structures of steel and reinforced concrete.

Down to the middle of the eighteenth century only timber was used in St. Petersburg for bridges and embankments. In the 1720s, it is true, Peter I did have a masonry embankment—the city's first—built around a small boat basin in the Summer Gardens, next to the Summer Palace and the Fontanka. This boat basin, which had been used to shelter the Tsar's skiffs, was later filled up, but recent archaeological excavations on the site have unearthed the stone walls, complete with the iron rings to which the skiffs used to be tied up.

Work on the city's first capital granite embankment began in the late 1750s in front of the new Winter Palace which was being built to the plans of F. B. Rastrelli. Later, between the 1760s and 1780s, the entire left bank of the Neva was faced with granite, from the present Liteiny Bridge to the New Admiralty Canal. The stretch in front of the Admiralty, where the shipyard remained until the middle of the nineteenth century, was faced with granite considerably later, in the 1870s.

The year 1784 saw the completion of the wrought-iron railing fencing off the Summer Gardens from the Neva quay. Designed by Y. Velten and P. Yegorov, it has won world-wide fame.

In the late 1760s, when the Neva embankments were being faced with granite, two masonry bridges were built near the Summer Gardens. One, called the Laundry (Prachechny) Bridge, was a three-span structure that crossed the Fontanka; the other, having a single span, crossed the Swan Canal dug in the late 1710s, and became known as the Upper Swan Bridge. Both bridges were built by a master stonemason named T. Nasonov, but the identity of their designer is yet to be established.

Both the Laundry and Upper Swan Bridges are thus among Leningrad's oldest masonry spans. They were built at a time when the ornate Baroque was yielding ground to the restrained, severe Neoclassicism in Russia. Both reflect this transitional period in the evolution of architecture. Thus, such elements as smoothly rounded arches, oval lucarnes overlooking the symmetrical projecting ice aprons, and the picturesque sweep of the stone steps are still reminiscent of the Baroque, while the severe and monumental composition combines the grandeur and noble simplicity characteristic of Neoclassicism.

The granite parapet of the embankment; a superbly designed stepped downslope; the graceful arches of the two bridges that break the smooth sweep of the quay; the Summer Gardens' beautiful railing, with the fine rhythm of its granite pillars and the rare elegance of its design and proportions, and the noble forms of the ancient trees, all combine to create a striking architectural ensemble.

One of the most charming spots of Old St. Petersburg is the Winter Canal (Zimniaya Kanavka), a miniature canal linking the Neva and Moika. It was dug in the late 1710s near where Peter I's Winter Palace was built in 1711. A second, more spacious Winter Palace was built in the 1720s, facing the Neva near the Winter Canal. Neither of the palaces survived, but it is to them that the canal owes its name, though after the Post Office moved to Millionnaya (now Khalturin) Street in its vicinity, in the second half of the eighteenth century, the canal's embankment came to be known as Post Office (Pochtovaya) Embankment. A marble tablet on the wall of the Old Hermitage still carries that name.

In 1763—66 a masonry bridge was built across the Winter Canal near its confluence with the Neva and was given the name of Hermitage Bridge. Later, in 1783—84, the banks of the canal were reinforced with granite and finished off with cast-iron railings. Work on the Hermitage theatre, designed by G. Quarenghi, was then in progress on the left bank of the canal, and an imposing covered overpass was built by Y. Velten to connect the theatre with the Old Hermitage. The supporting arch of the overpass and that of the Hermitage Bridge formed a harmonious composition of pleasingly rounded lines.

While work on the embankments was still going on, a second granite bridge was built across the Winter Canal at its intersection with Millionnaya Street, and named First Winter Bridge. In the 1760s it used to stand where the Red Canal branched off from the Neva to flow along the western rim of the Field of Mars. In the early 1780s the Red Canal was filled up and the bridge was taken down and set up over the Winter Canal.

In 1964, nearly two centuries later, still another stone bridge was built over the Winter Canal near the Moika. Actually, the supporting structure of this bridge is a reinforced-concrete vault, which, however, is faced with the same kind of greyish-pink granite as the stone supporting walls of the embankment and the two earlier spans — the Hermitage and First Winter bridges. Architecturally the new Second Winter Bridge is a replica of its predecessors. It was built by Soviet architects and gives an excellent finishing touch to the architectural ensemble of the Winter Canal.

The Griboyedov Canal, formerly known as Yekaterininsky (Catherine) Canal, runs practically from beginning to end in the channel of what was once the river Krivusha. Its construction was begun in 1764 and completed in 1790. The canal followed the meanderings of the Krivusha, except near its source in the swamps that had once overspread the upper reaches of the Moika: there it was cut straight through to connect with the latter. After its banks were faced with granite the canal became a useful shipping artery as well as a means of draining the city's swampy soil. The canal was built under the supervision of the engineers V. Nazimov, I. Borisov and I. Golenishchev-Kutuzov.

Where the Yekaterininsky Canal cut across Nevsky Prospekt a masonry bridge was built, in 1766. It was named Kazan Bridge, being nearest to the Cathedral of Our Lady of Kazan. As he worked on the project, Illarion Golenishchev-Kutuzov could never have imagined that a monument to his son, Field Marshal Mikhail Illarionovich Golenishchev-Kutuzov, famous Russian soldier and hero of the War of 1812, would be set up seventy years later near his bridge, in front of the cathedral.

A decade later, in 1766, a second stone bridge spanned the same canal at its intersection with Gorokhovaya (now Dzerzhinsky) Street. The arch of its single span was faced with granite quadrae, the smooth ones alternating with others, hewn on all four sides to resemble a flattened pyramid. This gave what was a relatively modest structure a truly monumental look.

While several stone bridges were built in St. Petersburg during the eighteenth century and in later years, this is the only one that has kept its name of the Stone (Kamenny) Bridge, possibly because it brings out exceptionally strongly the singular beauty of stonework.

West of the Kriukov Canal, between the Moika and Fontanka, lay an extensive area known in Old St. Petersburg since the middle of the eighteenth century as Kolomna.

The Kriukov Canal, Kolomna's eastern boundary, is one of the city's oldest: its northern section extending from the Neva to the Moika was constructed in 1719. It was named after its building contractor.

In the 1780s the canal was extended southward as far as the Fontanka, following an old street, past the belfry of the Nikolsky (St. Nicholas's) Cathedral. Its banks were walled with granite, and the old wooden bridges began to be replaced with new and more durable structures whose timber beams rested on masonry piers embellished with lamp-posts of graceful design. One of the first to be built in the 1780s was the Matveyev Bridge spanning the canal at its confluence with the Moika. The Pikalov Bridge, which appeared in the same period, spanned the Griboyedov Canal at its confluence with the Kriukov Canal.

During the current century more durable metal girders were laid on the piers of the Matveyev and Pikalov Bridges, but the general lines of both remained practically unchanged and the old lamp-posts were retained. Those on the Pikalov Bridge are particularly striking, built in the shape of graceful obelisks of granite.

In the late eighteenth and early nineteenth centuries five new triple-span bridges appeared on the Kriukov Canal, similar in composition and design to the earlier two. All five were rebuilt considerably later, steel girders replacing the timber beams of the Decembrists' (former Officers'), Torgovy, Old Nikolsky and Smezhny Bridges. As to the Kashin Bridge, it was completely reconstructed in 1932; now it has a single arch of reinforced concrete, whose flowing contours set off the swift upward thrust of the St. Nicholas's Cathedral belfry.

In the 1950s and early 1960s three metal footbridges were added to the picturesque series that spanned the Kriukov Canal. These were the Krasnoflotsky (Red Navy) Bridge over the Moika near a group of buildings known as New Holland; the Krasnogvardeisky (Red Guards) Bridge over the Griboyedov Canal at its confluence with the Kriukov Canal; and the Krasnoarmeisky (Red Army) Bridge over the Fontanka near the mouth of the canal. The fine lines of the new bridges and their architectural finish faithfully done in the "Old St. Petersburg" style helped integrate them unobtrusively in the general architectural scheme of Old Kolomna.

In the 1780s work was begun on the granite facing of the embankments of the Fontanka, the widest and longest southern branch of the Neva delta. In view of the heavy volume of shipping on the Fontanka a number of inclined ramps were constructed on its banks to facilitate the handling of freight.

Between 1784 and 1787 seven triple-span masonry bridges were built over the Fontanka, namely St. Simeon's (now Belinsky), Anichkov, Chernyshov (now Lomonosov), Semionovsky (at Dzerzhinsky Street), Obukhovsky, Izmailovsky and Old Kalinkin; all were alike in design.

Bridge-building on a serial basis may be said to have been characteristic of St. Petersburg. The principle of standardization was already appreciated by Russian architects in the eighteenth century as being both economical and helpful in giving the rivers and canals of St. Petersburg that aspect of austerity and that unity of composition which became their outstanding architectural feature.

The Lomonosov and Old Kalinkin bridges have fared better than the rest of the seven mentioned, which either have lost their towers (as the Belinsky and Izmailovsky) in the second half of the nineteenth century or were completely rebuilt.

The Old Kalinkin and Lomonosov are among Leningrad's most interesting bridges: their granite towers give them a distinctive appearance, an air reminiscent of the romantic past. Even so, neither the towers nor the hanging chains serve merely decorative purposes: both bridges were originally built with bascule spans, the towers containing special mechanisms for raising the timber leaves of their central spans to allow the passage of sailing vessels.

With the introduction of iron as a building material, in the beginning of the nineteenth century, bridge construction in St. Petersburg entered a new phase. The first cast-iron city-type bridge appeared in 1806, at the intersection of Nevsky Prospekt and the Moika. In those days it was called the Green or Police Bridge; after the October Revolution of 1917 its name was changed to People's (Narodny) Bridge. It was designed by W. Hastie, a St. Petersburg architect, who, using the idea proposed by Robert Fulton, the well-known American engineer, decided to construct a span in the form of a slightly arched vault composed of cast-iron blocks resembling boxes turned upside-down, perforated for bolts to hold them together. Many of those who followed the work on the project doubted whether the bridge would be durable; but their doubts were groundless: the span is as strong as ever, though it has been in service for 170 years.

Traffic in Nevsky Prospekt grew apace meantime, and the bridge was soon too narrow to handle it. It was widened, accordingly, by adding footwalks on either side, which rested on metal cantilevers. In early September of 1842, one of St. Petersburg newspapers commented as follows: "St. Petersburg's liveliest spot was fenced off the other day to screen a passage-way for pedestrians along the left side of the Police Bridge, and this is now the topic of the day... They are building a kind of balcony the entire length of the bridge, which will widen it; or a footway, at any rate... and promenaders in the Nevsky will then be able to stroll this winter beyond the Police Bridge, as far as the corner of Admiralty Square."

In 1844 asphalt blocks were used—for the first time in Russia—to pave the Police Bridge, and in this connection a newspaper reporter wrote the following lines: "I have been admiring daily the experimental paving of the crest of the Police Bridge with asphalt. Cast into cubes, asphalt stands up to the severest tests, for there is probably no other spot where traffic could be heavier than over this bridge."

When tram-lines were laid over it between 1904 and 1907 the bridge was widened again by the addition of several arches of similar construction, and certain alterations were made in accordance with a project drawn up by L. Ilyin, including the installation of the metal lamp-posts surviving to this day.

The architectural appearance of the city's first cast-iron bridge is a good example of the way a new structural material can create new architectural forms. Cast iron is nearly five times stronger than granite; with the introduction of this material it became possible to build arches of entirely novel proportions, not so high and more sloping, and to make them lighter and more graceful than the arches of the eighteenth century masonry bridges. The new structure proved very successful and the Hastie project was accepted as a pattern; indeed, it was the world's first standard metal bridge design which led to the manufacture, in the late 1810s, of cast-iron blocks for a whole series of new bridges that were to span the Moika.

Work on this project was interrupted by the War of 1812. In 1814, however, the first of the series, called the Red Bridge, spanned the Moika at Gorokhovaya (now Dzerzhinsky) Street. Although one hundred and forty years later its cast-iron vault was replaced with a modern structure of steel, the bridge has retained its original appearance, for Soviet experts took particular pains to restore the old granite obelisks with their lamps and gilded globes, as well as the railing separating the roadway from the footwalks — Hastie's notable contribution to traffic safety.

Next after the Green and Red bridges came the Blue Bridge, completed in 1818. All three, incidentally, owe their names to the fact that the old timber structures had been painted green, red and blue, respectively.

In the early 1840s the construction of Mariinsky Palace was completed in the vicinity of the Blue Bridge.

The building now houses the Executive Committee of the Leningrad City Soviet. In 1842—43 the Blue Bridge was reconstructed in such a manner that it came to form an extension of St. Isaac's Square, attaining a width of nearly one hundred metres, which makes it one of the world's widest bridges. The Potseluyev Bridge, the fourth cast-iron span over the Moika, was built in 1816 in Glinka Street, near the confluence of the Moika and Kriukov Canal. Potseluyev was the name of a tavern-keeper who used to do business once upon a time on the left bank of the Moika, near the bridge. The name, however, derives from the Russian for "kiss", and legend prefers a more romantic explanation. There used to be a naval barracks nearby, it says, and sailors leaving to join their ships used to kiss their sweethearts good-bye on the bridge.

In 1907—8 the old cast-iron vault of the Potseluyev Bridge was replaced with a steel arch designed by A. Pshenitsky; nevertheless the general aspect of the bridge remained practically unchanged. The old granite obelisks with their lamps have been refurbished recently, though one still shows the dents left by the fragments of a Nazi shell.

The disastrous flood of 1824, vividly described in Alexander Pushkin's *The Bronze Horseman*, carried away or damaged a great many of the city's timber bridges. This necessitated the construction of several new cast-iron and masonry spans in the late 1820s and the 1830s. An interesting conglomeration of bridges designed by P. Bazaine, E. Adam and G. Traitteur, professors of the St. Petersburg Institute of Ways of Communication Engineering, was built on the upper Moika, at points between the Engineers' Castle and the Palace Square. Beautiful metal railings and lamp-posts of meticulous workmanship were installed on each. The arches of these cast-iron bridges were embellished with decorative plates and cantilevers, also of iron casting.

A survey of the Moika's bridges is best begun from the spot where the river parts with the Fontanka near the Engineers' Castle.

In the course of the 1820s C. Rossi, an eminent Russian architect, laid out quays along the Fontanka and Moika to accommodate pedestrian and vehicular traffic, extended Sadovaya Street all the way to the Field of Mars, and selected sites for new bridges over the two rivers.

The St. Panteleimon's Bridge over the Fontanka, built in 1823 by G. Traitteur and V. Christianovich, was Russia's first suspension bridge open for the vehicular traffic. It had a roadway suspended from five wrought-iron chains that passed over two iron pylons and were securely anchored at both ends.

Between 1825 and 1837 several cast-iron and masonry bridges designed by P. Bazaine were built over the Moika and the Swan and Voskresensky (Resurrection) canals near the Engineers' Castle, the Voskresensky just south of the castle, at the time.

The end of the 1820s saw the completion of the First Engineers' Bridge, which spanned the Moika close to where it branches off from the Fontanka. Its arched span was constructed of cast-iron "box" blocks. Light was provided by *torchères* shaped to resemble bundles of spears, and the railing was embellished with plaques depicting crossed swords and shields decorated with the head of the mythical Gorgon Medusa. The arches were adorned with iron castings representing shields, helmets and other items of a warrior's armour.

At the south-east corner of the Engineers' Castle the granite quay of the Fontanka's right bank is interrupted by the rather unusual Second Engineers' Bridge, — a bridge over dry land. This bridge, built in 1830, used to span the Voskresensky Canal, since filled up. The bridge with its handsome railing was spared, however.

Much the same is the story of another bridge, the one that spans a dried-up watercourse next to the pond of the Mikhailovsky Garden. Built also around 1830, it spanned a creek that connected the pond with the Voskresensky Canal mentioned above.

In the mid-1830s two more masonry bridges were built in the vicinity of the Engineers' Castle, both designed by P. Bazaine. One, now known as the First Garden Bridge, carried Sadovaya (Garden) Street over the Moika (in 1907—8 its masonry arch was replaced by one of steel); the other, called the Lower Swan Bridge, spanned the Swan Canal. Stylized Roman weapons are the motif of the railing and the lamp-posts of both these bridges. Their architectural design was possibly worked out by C. Rossi.

The St. Panteleimon's suspension bridge remained in service for eighty-five years. In 1908 the risk of its collapse under the weight of ever heavier traffic caused it to be taken down and replaced with an arch bridge of steel, designed by A. Pshenitsky and L. Ilyin. To avoid any conflict with its architectural entourage Ilyin introduced into its décor the same motifs, such as spears, shields, etc., that had been used in decorating the neighbouring bridges over the Moika, built in the nineteenth century.

In 1967 the so-called Second Garden Bridge, with a span of modern reinforced-concrete construction, was built at the south-west corner of the Field of Mars. Its designers, E. Boltunova and L. Noskov, wished to unite it with the general scheme of the Field of Mars, which included the building of the former Paul's Guards Regiment barracks and the former Imperial stables built by V. Stasov, an outstanding Russian architect; and the lamp-posts for the new bridge were accordingly copied from those of the First Garden Bridge, while the railings repeated the pattern of those of a bridge now no longer extant, which had spanned the small river (since filled up) at the Narva Triumphal Gate and had been designed, possibly, also by V. Stasov.

A bit farther downstream from the Second Garden Bridge, where the Griboyedov Canal flows out of the Moika, stands one of old St. Petersburg's architecturally most interesting bridges. It is composed, as it were, of three parts; the single-span Malo-Koniushenny (Small Stables) Bridge over the Moika, the similarly single-span Theatre Bridge over the Griboyedov Canal where it issues from the Moika, and a third, "false" bridge. The latter's decorative cast-iron arch creates together with the load-bearing arch of the Theatre Bridge a strictly symmetrical composition that completes very appropriately the panorama of the Griboyedov Canal. This unique structure and its arresting architectural décor were worked out by G. Traitteur after the introduction of some minor modifications into the initial project drawn up by E. Adam.

Somewhat earlier (in 1828) E. Adam and G. Traitteur had designed and built the Great Koniushenny Bridge over the Moika on the far side of the former Imperial stables.

Across from the building of the Kapelle the Moika is spanned by the wide Kapelle (Pevchesky) Bridge, built between 1838 and 1840. Like the Red Bridge, it has kept its old railings separating the footwalks from the roadway, though of greater interest is the outer railing — a masterpiece of cast-iron lace-work of beautiful design and meticulous craftsmanship. Both the architecture and décor of the Kapelle Bridge are the work of E. Adam.

The Moika bridges built in the first half of the nineteenth century rightly rank among the outstanding achievements of Russian architecture. Identical in construction (their arches are assembled of cast-iron "box" blocks), their exterior almost always carries some individual traits.

"Among our capital's bridges," wrote V. Kurbatov, a great authority on St. Petersburg's architecture, "there are some that should figure prominently in the general history of art... We should be proud of them."

It may sound odd to speak of lions in the role of bridge supports, yet such a structure actually exists in Leningrad. We are speaking of the Lions' Bridge that spans the Griboyedov Canal where it loops picturesquely in the vicinity of Theatre Square. Four cast-iron lions squat on their haunches on its abutments, forelegs braced, heads thrown back, jaws gripping the slender iron chains that sustain the weight of the span. The powerful, handsome beasts are more than merely ornamental, for they contain within themselves systems of metal rods, or bars, to which the chains are anchored. The Lions' Bridge is an interesting example of the integration of engineering and sculpture.

Much like the lions are the fantastic golden-winged griffins holding the chains of the Bank Bridge which spans the Griboyedov Canal near the Cathedral of Our Lady of Kazan. In excellent harmony with the slender silhouette of the bridge is the fretwork of its railings, reconstructed by Soviet experts in 1952 in strict accordance with the original drawings.

The Lions' Bridge and the Bank Bridge were built in 1825—26 to the design of G. Traitteur, who had at an earlier time designed the suspension footbridge over the Moika, not far from the Main Post Office, after which it is named. Its chains were supported by obelisks braced by quadrant-shaped metal rails, and embedded in the abutments.

The sculptured figures of the Lions' and Bank bridges were cast from the models by P. Sokolov, author of the well-known *Girl with a Pitcher* fountain in the park at Pushkin.

The four sphinxes of the Egyptian Bridge, which carries Lermontovsky Prospekt over the Fontanka, are also the work of P. Sokolov. The Egyptian suspension bridge was built in 1826 by G. Traitteur and V. Christianovich. Today, the only original elements of this bridge are the four sphinxes. On January 20, 1905, a string of loaded wagons and a guards cavalry squadron happened to be crossing the bridge at the same time. Strong vibration set in, and the bridge collapsed. There were no casualties among the men, fortunately, everyone managing to scramble ashore. The Egyptian Bridge was rebuilt in 1955—56. Its steel frame structure is in the shape of a gently sloping arch. Designed by V. Demchenko, P. Areshev and V. Vasilkovsky, it fits perfectly into the panorama of the Fontanka. The cast-iron sphinxes, now over 150 years old, form an integral part of its composition.

Among the numerous sculpture-decorated bridges of European cities, one of the most famous is the Anichkov Bridge in Leningrad.

The old stone bridge built over the Fontanka in 1780 became, in time, too narrow to handle the increasing volume of traffic along Nevsky Prospekt. It was rebuilt, accordingly, in 1841, after the project of T. Butatz, the entire job being completed in six months — a record time for those days.

The Anichkov Bridge consists of three arched masonry spans. Its moulded cast-iron railing with a design composed of mermaids and sea-horses was copied from the Palace Bridge in Berlin, built in the 1820s by K. Schinkel.

The four *Horse Tamers* groups adorning the bridge were modelled and cast in bronze by P. Klodt, the celebrated Russian sculptor; they brought the bridge fully merited renown. Initially, at the time of reconstruction, only two bronze groups were erected on the west-end abutments, while the abutments at the other end were embellished with their plaster copies. A year later Klodt cast the two groups in bronze; but they were presented as a gift to the King of Prussia and dispatched to Berlin. Another pair of bronze castings was made, but they, too, remained in place for no more than two years and were sent off, in 1846, as a gift to the King of Naples, while a new pair of plaster copies was set up on the east-end abutments. Finally Klodt decided to create two entirely new sculptured groups, differing in composition but treating the same theme; and in 1849—50 these were cast in bronze and set up at the east end of the bridge.

These sculptured groups depicting untamed steeds and their trainers are an allegory of Man's triumph over the forces of nature. The history of world art offers few works in which the theme of Man's victorious struggle is presented so forcefully and convincingly.

In addition to the impact of their profound message, so consonant with our epoch, the sculptures are a source of high aesthetic enjoyment precisely because the sculptor has embodied his idea in forms of such artistic perfection. His talent has breathed life into the cold bronze and created a stirring Poem of Mankind.

In the autumn of 1941, when the enemy stood at the gates of the town, the four equestrian groups were hidden away to protect them from Nazi bombs and shells. In the late spring of 1945, the groups were installed in their former places.

17

"And bridges spanned the waters' width..." When Pushkin wrote his immortal poem, *The Bronze Horseman*, those bridges in masonry, wrought-iron and cast-iron spanned as yet only the creeks and canals of the southern section of the Neva delta. As to the main channel of the Neva, down to the middle of the nineteenth century it was crossed only by pontoon bridges of timber construction.

Projects of permanent-type bridges over the Neva had begun to appear during the last few decades of the eighteenth century, but they were never carried out. The building techniques used in those days could not cope with the difficulties created by the great depth of the Neva, its loose bottom soil and the dangers of the spring ice drift.

The first permanent metal bridge over the Neva was begun in 1843 and completed in 1850. It spanned the river at a point opposite the Square of the Annunciation (now Labour Square) and assured easy communication between Vasilyevsky Island and the left bank. First named Blagoveshchensky (Annunciation), in 1855 the bridge was renamed Nikolayevsky. The project for this monumental structure was developed by S. Kerbedz, a St. Petersburg civil engineer, while the railing was designed by Alexander Briullov, architect, brother of the prominent painter Karl Briullov. The structure was composed of cast-iron arched spans, including a swinging span next to the right bank, designed to allow the passage of sea-going craft.

On the eve of the October armed uprising the bourgeois Provisional Government had the Nikolayevsky Bridge occupied by cadets of the local military academies; and the leaves of the span were swung open to keep the Red Guards and revolutionary troops from reaching the left bank of the Neva.

On October 25, 1917, the cruiser *Aurora* was ordered by the Petrograd Military Revolutionary Committee to drop anchor just below the bridge; the cadets were forced to retreat; and the cruiser's electricians succeeded in closing the span and thereby re-established communication between Vasilyevsky Island and the city centre. When preparations for the storming of the Winter Palace were finished the *Aurora*, at anchor below the Nikolayevsky Bridge, fired its history-making shot.

Soon after the October Socialist Revolution the Nikolayevsky Bridge was renamed in honour of Lieutenant P. Schmidt, the prominent Russian revolutionary who had led the November, 1905, revolt of the sailors at Sevastopol.

Between 1936 and 1938 the bridge was radically reconstructed in accordance with a project drawn up by G. Peredery, as being no longer able to either handle vehicular traffic or afford passage to modern river and sea-going ships. Long steel girders replaced the arched spans, and a movable section of the bascule type was placed in the centre, where the depth of the river was greatest. From the engineering point of view its characteristic feature was that all the steel elements were joined together by electric welding, without the use of a single rivet. This was a bold technological innovation for the 1930s, and the Lieutenant Schmidt Bridge became one of the world's biggest welded bridges of the pre-war years.

The original railing with its sea-horse pattern was installed on the reconstructed bridge, but the lamp-posts had to be changed since they were not strong enough to carry the weight of the tramcar and trolleybus overhead wires. The new lamp-posts were constructed by L. Noskov; and the old ones were transferred to the Field of Mars. The cast-iron arches of the old Nikolayevsky Bridge were also put to good use: they were found to be in such sound condition that in 1953—56 they were utilized in the construction of a bridge over the Volga at Kalinin.

The second metal bridge, an iron-arch structure, spanned the Neva at the start of Liteiny Prospekt. Built between 1875 and 1879 by A. Struve, it remained in service for almost ninety years, when, toward the end of the 1960s, it underwent capital reconstruction.

The third bridge, initially named the Trinity (Troitsky) Bridge, linked the banks of the Neva between the Field of Mars and Trinity Square (now Square of the Revolution). It was built over the period between 1897 and 1903 in accordance with a project submitted by the French civil engineering firm of Batignolles. Being specialists in the field of large-scale steel construction, the firm became the winner at the two international contests organized by the St. Petersburg municipal council in 1892 and 1896. Quite a few of St. Petersburg's civil engineers and architects took part in the final elaboration of the project and in the construction of the bridge, notably N. Beleliubsky, A. Veretennikov, L. Novikov. Moreover, the St. Petersburg Academy of Arts set up a special commission including such leading architects as L. Benois, A. Pomerantsev, G. Kotov and others, designated to examine the decoration projects submitted, some of which were substantially modified. The grand opening of the bridge in 1903 coincided with the official celebration of St. Petersburg's second centenary.

The Trinity Bridge is characterized by an exceptional harmony of proportions. Its arches gradually increase in span length towards the centre, facilitating the passage of ships and creating an illusion of growing momentum which gives the bridge a peculiar air of lightness and grace.

The three handsome granite arched spans at the north end of the bridge, designed by G. Krivoshein, set off strikingly the tracery of its six steel trusses. The railing, lamp-posts, overhead contact-wire posts and ornate obelisks of the approach from the Field of Mars were designed by the French architects V. Chabrole and R. Patouillard and show the influence of the trend toward the Art Nouveau in architecture that developed around the turn of the twentieth century. In 1934 the bridge was renamed in memory of S. Kirov, the leader of Leningrad communists.

In 1966—67 the Kirov Bridge underwent partial reconstruction. The ugly and heavy double-leaf swing span near the left bank was removed as no longer able to handle the river traffic, which had increased following the completion of the new Volga-Baltic waterway, and replaced with a 43-metre single-leaf bascule span. Its pier was connected with the left bank by a reinforced-concrete arch faced with granite, similar in shape to the three old masonry arches of the right bank. The new bascule span was designed under the direction of G. Stepanov and Yu. Sinitsa from "Lengiprotransmost", the Leningrad bridge-designing organization. The reconstruction resulted in improving the handling of river traffic as well as the architectural exterior of the Kirov Bridge.

The Great Okhta Bridge, built between 1908 and 1911 after the design of G. Krivoshein and V. Apyshkov, spanned the Neva somewhat upstream from where it is joined by the Okhta. Its movable span is situated in midstream, while the side spans are formed of steel arch trusses, 136 metres long, from which the roadway is suspended.

While the bridge is well adapted to handle river shipping, its architectural merits are doubtful. The heavy trusses rising above the roadway block the view of the Neva and, notably, the Smolny Monastery, a masterpiece of eighteenth century Russian architecture. The Great Okhta Bridge looks like a plain piece of engineering, which is the result of a purely utilitarian approach to its designing. Before the October Revolution Okhta used to be a workers' district on the city's farthest outskirts, so that nobody cared whether the bridge would fit into the panorama of the Neva.

The composition of the Palace (Dvortsovy) Bridge is based on very different architectural principles. This five-span bridge connects the Vasilyevsky Island Spit with the left bank of the Neva near the Winter Palace, and minute attention was therefore given to its architectural décor. The bridge was to be built close to the surface of the water, skimming lightly over it, as it were, so that it should not obstruct the splendid vista of the Neva's quays. It has two double-span continuous trusses and its central span, measuring about fifty-five metres, is a double-leaf bascule. The length of the spans increases toward midstream, while the contours of the bridge follow smoothly curving lines. The bridge presents an appearance at once elegant and monumental. The long spans and the severity of the mighty granite piers harmonize with the majestic sweep of the Neva and the architecture of its quays.

The Palace Bridge was designed by A. Pshenitsky. Construction was begun in 1912, but the outbreak of the First World War caused the work to be suspended. The bridge was opened to traffic on the eve of 1917, even while its architectural decoration was still unfinished.

The five metal bridges provided, when completed, dependable communication over the Neva in the city's central area. However, after the October Revolution the growing Leningrad developed a need for a new bridge over the river in the outlying eastern area of former wasteland and tiny villages, where large-scale industrial and housing development was then in full swing. The bridge was built between 1932 and 1936 and named after V. Volodarsky, a prominent revolutionary treacherously assassinated near the site on June 20, 1918.

The Volodarsky Bridge project was worked out by G. Peredery and K. Dmitriev in consultation with A. Nikolsky. The central movable span with its electrically welded steel bascules was one of the world's earliest specimens of such balance-bridge construction.

The austere and modern appearance of the Volodarsky Bridge fits well into the surrounding architectural landscape. Its fine proportions and noble simplicity of composition make it one of the outstanding achievements of Soviet bridge-designing.

The second major reinforced-concrete bridge, named in memory of Alexander Nevsky, the Russian national hero, spanned the Neva in 1965 at a point where it is closest to Nevsky Prospekt. It was designed in "Lengiprotransmost" under the direction of A. Yevdonin; its architects were A. Zhuk, S. May-ofis and Yu. Sinitsa. The traffic intersection pattern at the approaches was worked out by Yu. Boiko, A. Gutzeit and other civil engineers of "Lengiproinzhproekt" (the Leningrad town-planning and town-building organization).

All aspects of the bridge reflect a trend toward simplicity, economy and engineering efficiency, characteristic of Soviet civil engineering of the late 1950s and early 1960s. It was this trend, in the given case, that determined the number of spans and the type of structure. The width of the movable central span was to be about 50 metres, which would allow ample room for navigation. The remaining six spans, with the maximum span length of 123 metres, were to be bridged by extra-long continuous girders of prestressed reinforced concrete. The most up-to-date building techniques were used in the project. The reinforced concrete girders were constructed of separate complex blocks. Each block was assembled ashore on a special construction site, mounted on a heavy-duty pontoon lighter and slowly towed to the designated bridge piers. Here the ends of the girder block were carefully guided into position over the two piers, the many-ton structure being manipulated with a precision reckoned in millimetres; water was then pumped into the pontoons and the block was slowly lowered to rest on the piers.

The same method of towing large-size bridge sections assembled on shore was used in the capital reconstruction of the Liteiny Bridge, designed and built by "Lengiprotransmost" under the direction of L. Wildgrube and Yu. Sinitsa.

The old Liteiny Bridge built in the 1870s was no longer capable of handling the heavy flow of modern city traffic. Its movable span, moreover, was close to the river bank, and had long since become too narrow, and the channel beneath it too shallow, for the sea-going ships arriving in Leningrad by way of the Volga-Baltic Canal.

The underwater sections of the old piers were found still perfectly sound and were therefore allowed to stand. Long, slightly curving steel girders bridge the spans, resting on the piers which have been faced with granite of a light pink hue.

The new bridge is not unlike the old one in appearance, yet it has a thoroughly modern look.

Its movable single-leaf span of the bascule type is an outstanding achievement of Soviet civil engineering, chiefly on account of its size: the leaf is fifty-five metres long and thirty-four wide and weighs 3,225 tons, which is a world record. What is more, so massive a bascule is raised to a practically vertical position in the space of no more than two minutes.

The old railing designed by K. Rachau, a St. Petersburg architect, was also retained after undergoing some restoration. It is an object of interest both because of its fine workmanship and also because its pattern includes St. Petersburg's old emblem representing a shield with two crossed anchors.

A few hundred metres downstream from the Liteiny Bridge the Bolshaya Nevka, the Neva's longest northern effluent, forks off to the right. Here, within some hundred metres from the Neva, the cruiser *Aurora* is moored forever at the quay wall, while just beyond it the Freedom Bridge, built between 1954 and 1956 to replace the old nineteenth century wooden span, links the two banks of the Bolshaya Nevka. V. Demchenko and L. Noskov, who designed the bridge, sought to give it the traditional contours of the bridges of Leningrad's older districts. The five central spans of the seven-span Freedom Bridge,

with the movable span in the middle, deliberately repeat the construction of the Kamenno-Ostrovsky and Ushakov bridges, both of which had been completed a year earlier (see the description on p. 23). The Freedom Bridge has some interesting architectural features, but its spans seem too narrow when compared with the width of the river at this point.

A distinct achievement of Leningrad's civil engineers and architects is the new Builders' Bridge spanning the Malaya Neva (the right-hand branch of the Neva) between Vasilyevsky Island and the Petrograd Side, completed in 1960. The project had been a particularly difficult and responsible assignment in civil engineering, for the new bridge replacing the old timber structure had to fit into the architectural landscape of the Vasilyevsky Island Spit, which has largely retained its original aspect.

The smoothly rounded point of the island (the so-called Spit) splits the Neva into two branches of approximately equal width: the Bolshaya Neva and Malaya Neva. This circumstance accounts for the strictly symmetrical lay-out chosen for this part of the island by the early nineteenth century Russian architects. On the suggestion of A. Zakharov, one of the architects concerned, the monumental building of the former Stock Exchange (now housing the Central Naval Museum), built by Thomas de Thomon, was aligned strictly with the axis of the Spit. Two rostral columns were erected on either side of a semicircular square; and two evenly graduated ramps led down to the water. Developing the principle of strict symmetry that governed the architectural planning of the area, I. Luchini erected, in the late 1820s, two similar warehouses, one on each side of the Stock Exchange, and a custom-house (now the Institute of Russian Literature) north of it, whose dome seen in the skyline corresponds to the tower of Peter I's Kunstkammer. The austere monumentality of the architectural whole harmonized perfectly with the fine balance of the individual edifices. It was this principle that determined the architectural aspect of the new Builders' Bridge.

The left-hand branch of the Neva is crossed at the Spit by the five-span metal Palace Bridge; hence the decision that the Builders' Bridge, too, should be a five-span metal structure with a contour generally similar to that of the Palace Bridge. However, its engineers (V. Demchenko and B. Levin) and architects (L. Noskov and P. Areshev) decided in favour of improved, more modern structural elements, and used steel arches. The length of the spans increases gradually towards midstream, as in the case of the Palace Bridge; here, too, the central span is the movable one. Constructed in such a way that it is nearly indistinguishable from the other arches when closed, it does not break the rhythmic lines of the bridge. The Builders' Bridge fits perfectly into the architectural landscape of the Spit and the broad sweep of the Neva.

In November, 1965, five years after the completion of the Builders' Bridge, a second major bridge spanning the Malaya Neva was built. This was the Tuchkov Bridge, which received its name from that of a leading lumber dealer, owner, in the eighteenth century, of a large timber-yard, who had financed, back in 1758, the building of the first wooden span on the same spot. Incidentally, if its name dates back to times past, the bridge itself offers an example of the employment of quite modern engineering techniques. The movable central span comprises two upward-swinging steel bascules. The two side spans measuring seventy-four metres each are bridged by pre-stressed ferro-concrete structures. Their originality and economy facilitated construction while the graceful lines of the unusually slender girders set off the massive granite piers, convincingly demonstrating the great strength of reinforced concrete.

Designed by the authors of the Builders' Bridge, V. Demchenko, B. Levin, L. Noskov and P. Areshev, the Tuchkov Bridge is rightfully considered to be one of Leningrad's handsomest. It is an outstanding example of the modern trend in bridge architecture, which emphasizes austerity and elegance of contour and calls for a new approach to designing problems. The long spans of the bridge together with its simple and clear-cut lines harmonize well with the expanse of the river, striking a new and modern note in the panorama of the Neva's embankments.

A different tonality, if one may say so, has been given the series of bridges and quays of the Karpovka, a distributary that separates the main part of the Petrograd Side from Aptekarsky Island, its northern fringe. These bridges are on a more modest, more intimate scale, in keeping with the modest width of the Karpovka and its picturesque meanders. At first only timber bridges spanned the Karpovka. The first bridge of reinforced concrete, given the name of Pioneers' Bridge, was built over it in 1936. This is a handsome arched span, elliptical in shape, faced with granite; the selection of so impressive a finish was dictated by the location of the bridge on Kirovsky Prospekt, the main thoroughfare of the Petrograd Side.

In the 1960s work was begun on a granite facing for the Karpovka's embankments. Its new quays have a graceful railing with a pattern which, though quite original, is nevertheless reminiscent of St. Petersburg's old canals. Concurrently with the work on its embankments the Karpovka's bridges were reconstructed. The graceful contours of these new bridges, built chiefly of the standard sectional ferro-concrete structures suggested by "Lengiproinzhproekt", fit nicely into the Karpovka's architectural surroundings. The northern reaches of the Neva delta comprise three large islands, namely, Stone Island, Yelagin Island and Krestovsky Island. The area is largely given over to spacious parks.

Here the Neva breaks up into several rather wide subsidiary streams, i. e. the Bolshaya, Malaya and Sredniaya Nevkas and the Krestovka; and into many nameless narrow creeks that criss-cross the islands to link the inland ponds. There is water and greenery wherever one turns, which makes this part of the city particularly picturesque. At present these northern islands of the Neva delta are the realm of recreation and sports.

Bridges, too, are particularly numerous in this region of Leningrad. The great majority are relatively small timber footbridges, though there are also a few city-type spans of steel and reinforced concrete.

The year 1955 saw the completion of an original pair of bridges at the eastern tip of Stone Island (Kamenny Ostrov), designed by V. Demchenko, B. Levin, P. Areshev and V. Vasilkovsky. These are the five-span metal Kamenno-Ostrovsky Bridge with a movable central span, which links the banks of the Malaya Nevka; and the Ushakov Bridge, named in memory of the famous eighteenth century Russian admiral, which spans the Bolshaya Nevka. The latter is the longer of the two, and in the interests of structural unity the designers made its central five-span part an exact replica of the Kamenno-Ostrovsky Bridge, adding two granite-faced arched spans on either side.

In the early 1950s Soviet architects favoured classical forms; the architecture of the two bridges is an example of this trend. The designers of the Kamenno-Ostrovsky and Ushakov bridges were bent on following the architectural traditions of St. Petersburg's bridge engineering of the early nineteenth century, and therefore designed the face of the steel girders in the shape of flattened arches. Both of the bridges at the tip of Stone Island present an integrated architectural composition, and their stylized exteriors show good taste. The serenely flowing lines of the bridges are consonant with the surrounding parkland scenery.

By the early 1960s, however, Soviet architects had rejected their stylized imitation of Classicism and had struck out determinedly on a quest of new forms that should reflect the characteristic properties of modern building materials and structures. Severity, simplicity and structural logic became the fundamental features of the contemporary style in architecture. These features were reflected in the exteriors of many new ferro-concrete bridges built over Leningrad's canals in the past decade. One of the most interesting examples is the Malo-Krestovsky Bridge, designed and built by Yu. Yurkov and L. Noskov in 1962. It spans the Krestovka, a short creek separating Krestovsky Island from Stone Island. The severe simplicity of its architectural composition goes hand in hand with a kind of dynamic grace; it seems to have been stopped short in an impetuous leap; and there is, indeed, a sort of sportive air about it, quite in harmony with its setting of park and athletic grounds.

Soviet engineers and architects carried on loyally the traditions of the bridge builders of old St. Petersburg. At the same time, the past few decades

23

witnessed a remarkable technological advance, as a comparison of the new bridges with the old will readily show. Soviet builders have made wide use of the newest types of steel, aluminium and pre-stressed reinforced concrete structures, together with the most modern assembly methods utilizing large-size assembly members.

24 Leningrad's new bridges present a great variety of engineering and architectural variants, all the way from such huge structures as the great leaves and mighty "sinews" of the movable spans that link the banks of the Neva, down to the modest arch, girder and frame bridges that gracefully span the city's canals, casting their reflections on the placid waters.

Bridges always play an important role in the city and river landscape. Well aware of this, Leningrad architects have succeeded, as a rule, in integrating the new bridges into the panorama of the canals and arms of the Neva delta. Some of them, built in the city's older districts, are quite in the classical style and harmonize perfectly with their architectural milieu. Bridges built in other districts, with modern-type buildings seen on all sides, stress modern architectural lines and reveal the use of the most up-to-date engineering techniques — a harmony of formula and form, so to speak.

Leningrad's bridges constitute an integral part of its architectural ensembles, its life, and its great and heroic history.

There is no room in a brief survey for a description of all Leningrad's bridges; only a few have therefore been mentioned—those with a particularly eventful history or those of distinctive construction or architectural features. To really feel all the beauty and harmony of Leningrad's architecture one must stroll along the banks of the Neva, listen to the ripple of its waves, contemplate the city's buildings, the vistas of its quays and canals.

Only then will the city on the Neva reveal itself in all its charm—the charm of the wonderful and inimitable City of Bridges.

Ленинград называют «городом мостов». И это название вполне справедливо. Шестьдесят восемь рек, каналов и протоков пересекают город в разных направлениях, образуя на его обширной территории сорок два острова.

Построенный в дельте Невы, у выхода в Финский залив, новый город стал первым русским портом на Балтийском море. Чтобы развернуть строительство на низких заболоченных берегах, необходимо было их осушить. Для этого прорыли несколько каналов. Вместе с естественными протоками Невы — Фонтанкой, Мойкой, Ждановкой, Большой Невкой и другими реками — они превратили Петербург в настоящую «Северную Венецию». Протоки и каналы имели большое значение еще и как транспортные артерии города — по ним сновали многочисленные лодки и баржи, развозя людей и разные грузы, необходимые молодой, быстро растущей столице России.

Позднее, в XIX веке, некоторые каналы засыпали или убрали в трубы, а на их месте проложили улицы и бульвары. Но все же большая часть сохранилась, в их числе канал Грибоедова, Крюков, Лебяжий, Обводный, Зимняя канавка и другие.

В наши дни в самом Ленинграде, без пригородов, насчитывается около трехсот мостов, не считая железнодорожных и путепроводов. Около тридцати из них взяты под государственную охрану как памятники архитектуры. Это и каменные мосты XVIII века, с их монументальными гранитными арками и романтичными башнями, и изящные арочные и висячие первой трети XIX века, и Аничков мост с его знаменитыми скульптурами. Среди современных мостов Ленинграда, созданных советскими архитекторами и инженерами, есть немало выдающихся по своим техническим и архитектурным достоинствам. Они отличаются одновременно и изяществом стальных и железобетонных конструкций, и оригинальностью, смелостью инженерных замыслов и решений.

Мосты — неотъемлемая часть архитектурной панорамы Ленинграда, органично вошедшая в прославленные ансамбли. Вероятно, представить себе Ленинград без мостов так же немыслимо, как, например, Нью-Йорк без небоскребов или Египет без пирамид.

Петербург основан 16 (27) мая 1703 года: в этот день на Заячьем острове заложили крепость, позднее названную Петропавловской. Одновременно на правом берегу Невы, на Городовом острове (ныне Петроградская сторона), началось строительство деревянных жилых домов.

Очевидно тогда же, между крепостью и островом был сооружен деревянный наплавной мост — первый в молодом городе. Его настил поддерживали бревна, уложенные на деревянные барки — плашкоуты.

В 1706 году началось строительство новых, кирпичных бастионов Петропавловской крепости, и мост решили заменить более прочным, тоже деревянным, но опирающимся на сваи. Немецкий путешественник, побывавший в Петербурге в 1710—1711 годах, писал о нем, что это «прекрасный в двух местах подъемный мост, имеющий около 300 шагов длины». В 1738 году его снова перестроили: средняя часть по-прежнему оставалась деревянной, а у берегов соорудили каменные арки, которые можно увидеть и сейчас (хотя их пролеты уже давно заложены). Эти старые каменные конструкции стали прибрежными устоями современного Иоанновского моста, который ведет от Петроградской стороны к восточным, Иоанновским, воротам Петропавловской крепости.

Нынешний Иоанновский мост — прямой «потомок» того первого, который был сооружен еще при Петре I. Но с тех пор облик его стал иным: на новых деревянных опорах теперь покоятся стальные балки. В 1950-х годах на нем установлены изящные металлические фонари и перила, выполненные по образцам первой четверти XIX века.

В 1713 году через леса и болота на левом берегу Невы проложили «Большую прешпективую дорогу», направленную к зданию Адмиралтейства. Позднее она превратилась в главную магистраль города — Невский проспект. В том месте, где дорога пересекала Фонтанку, в 1715 году построили деревянный мост. Граница города тогда проходила по Фонтанке, и здесь находилась застава. Мост этот построили солдаты, которыми командовал подполковник М. О. Аничков, и с тех пор, несмотря на неоднократные капитальные перестройки, он по-прежнему называется Аничковым. Берега Фонтанки вблизи «Большой прешпективы» тогда были низкими и болотистыми, и старый деревянный Аничков мост был почти в четыре раза длиннее ныне существующего.

Вскоре на «Большой прешпективе», там, где она пересекала Мойку, построили еще один деревянный мост. Одно время он был покрашен в зеленый цвет, и по-

этому его называли Зеленым мостом. Позднее, когда в 70-х годах около моста появился дом петербургского генерал-полицмейстера, возникло и второе название — Полицейский.

К 1749 году в городе насчитывалось уже около сорока деревянных мостов. Примерно половина из них имела разводные подъемные пролеты. Многие из этих мостов построил инженер Харман ван Болес — тот самый, который в конце 1710-х годов соорудил высокие деревянные шпили Адмиралтейства и Петропавловского собора. Интересно отметить, что уже в то время деревянные мосты часто строились по «образцовым», то есть, выражаясь современным языком, типовым, стандартным проектам.

В первые десятилетия XVIII века сообщение между берегами Невы поддерживалось только на лодках, а зимой — по льду. Строительство моста через главное русло Невы было сопряжено с большими техническими трудностями, а кроме того, и сам Петр I полагал, что он будет мешать судоходству. Однако по мере роста города необходимость его постройки через Неву стала ощущаться все более остро. Наконец, в 1727 году соорудили первый наплавной деревянный мост на плашкоутах, соединивший берега Невы напротив Исаакиевской площади, — примерно в том месте, где теперь стоит «Медный всадник».

Этот мост простоял только одно лето: в течение следующих пяти лет его не наводили. Только в 1732 году «бомбардир-лейтенант» Ф. Пальчиков снова построил наплавной мост на прежнем месте. Времени на заготовку специальных плашкоутов не хватило, поэтому решили использовать в качестве опор моста частные баржи, а на следующий год соорудили наплавной мост уже по всем правилам строительного искусства. С тех пор, вплоть до середины XIX века, Исаакиевский наплавной мост наводился каждый год: сначала только на теплое время года, а затем, с 1779 года, и зимой, по специальным каналам, прорубленным во льду. Но на время ледохода и ледостава мост приходилось все же убирать, так как мощный невский лед легко мог его повредить.

В 1820 году при реконструкции Исаакиевского моста, осуществленной инженерами О. Бетанкуром и Г. Третером, у обоих въездов были сделаны каменные устои, облицованные гранитом и украшенные красивыми закругленными лестницами. Их можно видеть и сейчас — это два выступа набережной: один — против «Медного всадника», другой — на противоположном берегу, у здания бывшего манежа.

Сам мост уже давно не существует: 11 июня 1916 года он сгорел от искр проходившего по Неве парохода.

В XVIII—XIX веках главное русло Невы и ее северные рукава: Малую Неву, Большую, Малую и Среднюю Невки — пересекало несколько наплавных деревянных мостов. В 1758 году был построен Тучков мост между Васильевским островом и Петербургской (ныне Петроградской) стороной; в 1786-м — Воскресенский, соединивший левый берег Невы с Выборгской стороной примерно против места, где теперь находится площадь Ленина. В 1760 году навели Каменноостровский мост через Малую Невку, в 1786-м — Строгановский через Большую Невку у Каменного острова. В 1825 году против Марсова поля появился наплавной Троицкий мост, связавший центр города с Петербургской стороной.

Все они позднее постепенно были заменены мостами постоянного типа: сначала деревянными, затем — металлическими.

Теперь в Ленинграде нет ни одного наплавного моста, а деревянные свайные еще остались: у Петропавловской крепости, на Кировских островах и на Обводном канале. Но с каждым годом их число сокращается:

на смену им приходят современные, более долговечные мосты из металла и железобетона.

До середины XVIII века в Петербурге набережные и мосты строили только из дерева.

Правда, уже в 1720-х годах появилась первая каменная набережная: она окружала небольшой «гаванец» для стоянки царских лодок в Летнем саду у Фонтанки, подле Летнего дворца. «Гаванец» позднее засыпали, но недавно при археологических раскопках ленинградские реставраторы обнаружили его каменные подпорные стенки, в которых сохранились даже железные кольца для привязывания лодок.

Первую большую гранитную набережную в Петербурге начали возводить в конце 50-х годов перед новым монументальным Зимним дворцом, который строился в те годы по проекту архитектора Ф. Б. Растрелли. В 60—80-х годах одели в гранит весь левый берег Невы, начиная от того места, где теперь стоит Литейный мост, и до Ново-Адмиралтейского канала. Только против Адмиралтейства, где вплоть до середины XIX века была кораблестроительная верфь, каменную набережную соорудили позднее — в 70-х годах.

В 1784 году закончили ограду, отделившую Летний сад от набережной Невы. Созданная по проекту архитектора Ю. Фельтена при участии П. Егорова, она пользуется всемирной известностью.

Вблизи Летнего сада в конце 60-х годов одновременно с гранитными набережными построили два каменных моста: трехпролетный Прачечный через Фонтанку и однопролетный Верхне-Лебяжий через Лебяжий канал, проложенный еще в конце 1710-х годов. Мосты возводились под руководством каменных дел мастера Т. Насонова, но автор проекта пока не установлен.

Прачечный и Верхне-Лебяжий относятся к числу самых старых каменных мостов Ленинграда. Они были созданы в те годы, когда в России пышный стиль барокко сменился сдержанным, строгим классицизмом. Облик мостов отразил особенности этого переходного периода в эволюции архитектуры. С одной стороны, в мягких закруглениях арок, в овальных люкарнах, расположенных над выступами ледорезов, и в живописном развороте лестниц еще ощущаются отголоски барокко, но в то же время общая строгость и монументальность композиции, сочетание величия и благородной простоты — качества, свойственные стилю классицизма.

Гранитная набережная с великолепно прорисованным лестничным спуском, два гранитных моста, своими живописными арками прерывающие спокойную ленту набережной, ажурная решетка и торжественно-монотонный ритм ее гранитных колонн, кроны старых деревьев Летнего сада — все это в своей совокупности образует удивительно цельный неповторимый архитектурный ансамбль.

Зимняя канавка, соединяющая Неву с Мойкой, — один из самых очаровательных уголков старого Петербурга. Она была прорыта в конце 1710-х годов вблизи того места, где в 1711 году появился Зимний дворец Петра I. В 20-х годах у канавки на берегу Невы был построен второй, более просторный, Зимний дворец. Сами дворцы не сохранились, но именно им обязана канавка своим названием. Впрочем, во второй половине XVIII века, когда поблизости на Миллионной улице (ныне улица Халтурина) находился Почтовый двор, набережная канавки называлась Почтовой — об этом напоминает сохранившаяся до сих пор на стене Старого Эрмитажа мраморная доска.

В 1763—1766 годах был построен каменный Эрмитажный мост, пересекший Зимнюю канавку около Невы. Позднее, в 1783—1784 годах канавку укрепили гранитными набережными, завершенными ажурными чугунными перилами. В эти годы на ее левом берегу развернулось строительство здания Эрмитажного театра, спроектированного архитектором Дж. Кваренги, и архитектор Ю. Фельтен соединил его с соседним Старым Эрмитажем эффектным крытым переходом, арка которого вместе со сводом Эрмитажного моста образовала чрезвычайно гармоничный аккорд мягко круглящихся линий.

Одновременно с каменными набережными на Зимней канавке был сооружен и второй гранитный мост — на пересечении с Миллионной улицей (сейчас он называется Первым Зимним). Раньше он стоял там, где из Невы вытекал Красный канал, проходивший вдоль западного края Марсова поля. В начале 80-х годов канал засыпали, а мост, полностью разобрав, перенесли на Зимнюю канавку.

Почти два века спустя, в 1964 году, на Зимней канавке появился еще один каменный, пересекающий ее около Мойки. Впрочем, в действительности несущей конструкцией этого моста является железобетонный свод, который облицован таким же серовато-розовым гранитом, как и каменные подпорные стены набережных и два старых моста — Эрмитажный и Первый Зимний. Архитектурный облик нового, Второго Зимнего, моста полностью повторяет облик его «старших братьев». Сооруженный советскими мостостроителями, он очень удачно завершил архитектурный ансамбль Зимней канавки.

Канал Грибоедова, раньше называвшийся Екатерининским, почти на всем своем протяжении протекает по руслу прежней реки Кривуши. Строительство началось в 1764 году и было закончено в 1790-м. Очертания канала повторили излучины Кривуши, и только поблизости от ее истока (Кривуша вытекала из болот и топей, находившихся когда-то в верховьях Мойки) канал проложили по прямой и соединили с

Мойкой. Облицованный гранитными набережными, он стал удобной транспортной магистралью и способствовал осушению заболоченной почвы Петербурга. Сооружение велось «под смотрением» инженеров В. Назимова, И. Борисова, И. Голенищева-Кутузова. В 1766 году на пересечении Екатерининского канала с Невским проспектом был построен каменный Казанский мост. Сооружая его, Илларион Голенищев-Кутузов и не подозревал, что через семьдесят лет рядом с мостом, у Казанского собора, будет поставлен памятник его сыну — прославленному русскому полководцу, герою Отечественной войны 1812 года — генерал-фельдмаршалу Михаилу Илларионовичу Голенищеву-Кутузову.

В 1776 году на Екатерининском канале появился второй каменный мост — на пересечении с Гороховой улицей (ныне улица Дзержинского). Арка получила оригинальную и эффектную архитектурную обработку: она была облицована чередующимися гранитными квадратами — гладкими и отесанными на четыре грани, в виде плоской пирамиды. Это превратило сравнительно небольшое по размерам сооружение в подлинно монументальное.

Хотя в Петербурге и в XVIII веке, и позднее было возведено несколько каменных мостов, только этот стал называться Каменным, быть может потому, что в его облике особенно убедительно раскрыта своеобразная красота каменной кладки.

Обширный район старого Петербурга, лежащий между Мойкой и Фонтанкой к западу от Крюкова канала, с середины XVIII века назывался Коломной.

Крюков канал, ограничивающий ее с востока, принадлежит к самым старым в Петербурге: его северную часть, проходившую от Невы до Мойки, закончили в 1719 году. Название напоминает о том, что строителем был подрядчик Семен Крюков.

В 1780-х годах канал продлили до Фонтанки, проложив его по старой улице мимо колокольни Никольского морского собора.

В эти же годы берега Крюкова канала укрепили гранитными набережными. Взамен прежних деревянных мостов началось строительство новых, более надежных, деревянные балки которых покоились на каменных опорах, украшенных изящными фонарями. Одним из первых был сооружен Матвеевский мост, пересекающий канал у набережной Мойки. Тогда же был построен Пикалов мост, соединяющий берега канала Грибоедова у его «перекрестка» с Крюковым.

Пролеты Матвеевского и Пикалова мостов в XX веке перекрыли более надежными металлическими балками. Однако их силуэты при этом изменились сравнительно мало. На мостах сохранились и старинные фонари. Особенно красивы фонари Пикалова моста, выполненные в виде стройных гранитных обелисков.

В конце XVIII—начале XIX века на Крюковом канале появилось еще пять трехпролетных мостов, по композиции и конструкции аналогичных Матвеевскому и Пикалову. Много позднее их перестроили. Деревянные балки мостов Декабристов (бывший Офицерский), Торгового, Старо-Никольского и Смежного заменили стальными. В 1932 году соорудили новый Кашин мост, перекрыв канал железобетонной аркой. Ее плавные очертания эффектно оттенили стремительный взлет колокольни Никольского собора.

Живописный ансамбль мостов Крюкова канала в конце 1950—начале 1960-х годов был дополнен тремя металлическими пешеходными мостами. Краснофлотский пересек Мойку вблизи Новой Голландии, Красногвардейский соединил берега канала Грибоедова у его пересечения с Крюковым каналом, а Красноармейский переброшен через Фонтанку около устья Крюкова канала. Стройные силуэты новых мостов и их архитектурное оформление, тонко стилизованное «под старый Петербург», способствовали тому, что они очень органично сочетаются со старой застройкой бывшей Коломны.

В 80-х годах XVIII века начали облицовывать гранитом берега Фонтанки — самого длинного и широкого из южных рукавов невской дельты. Фонтанка была важной транспортной магистралью Петербурга,

и на ее набережных устроили специальные наклонные съезды (пандусы) для выгрузки товаров.

Между 1784 и 1787 годами через Фонтанку было построено семь каменных трехпролетных мостов: Симеоновский (ныне мост Белинского), Аничков, Чернышев (ныне мост Ломоносова), Семеновский (на пересечении с современной улицей Дзержинского), Обуховский, Измайловский и Старо-Калинкин. Все они созданы по одному «образцовому» проекту.

Строительство мостов целыми сериями характерно для Петербурга. Уже в XVIII веке русские строители хорошо понимали преимущества типизации. Этот метод давал не только ощутимую экономию, но и позволял придать панорамам петербургских рек и каналов ту строгость и то композиционное единство, которые стали их архитектурной особенностью.

Из семи «мостов-братьев» лучше других сохранились мосты Ломоносова и Старо-Калинкин. Остальные во второй половине XIX века либо лишились башен (мосты Белинского, Измайловский), либо были полностью перестроены.

Мосты Старо-Калинкин и Ломоносова относятся к числу самых интересных в Ленинграде: гранитные башни придают им своеобразный облик, овеянный романтикой старины. Однако и башни, и свисающие с них цепи — не просто украшение: раньше мосты были разводными и в башнях находились специальные механизмы, которые при помощи цепей поднимали кверху деревянные крылья средних пролетов, чтобы пропускать суда с мачтами.

В начале XIX века в строительстве петербургских мостов наступил новый этап, связанный с применением нового строительного материала — металла. Первый чугунный мост сооружен в 1806 году на пересечении Невского проспекта и Мойки. Тогда он назывался Полицейским, или Зеленым, а после 1917 года переименован в Народный.

Проект разработал петербургский архитектор В. Гесте. Использовав конструктивную идею инженера Р. Фултона, он решил перекрыть пролет пологим сводом, собранным из чугунных блоков, напоминающих по форме перевернутые ящики. В их стенках были сделаны отверстия, через которые пропускались болты, скрепляющие блоки-ящики один с другим. Многие свидетели строительства сомневались в прочности моста, но их опасения оказались напрасными: свод продолжает исправно служить до сих пор, хотя возраст его уже превысил сто шестьдесят пять лет.

Движение на Невском проспекте с каждым годом становилось все более оживленным. Вскоре Полицейский мост оказался узким, и его решили расширить, пристроив с каждой стороны тротуары, вынесенные на металлических консолях.

В газете «Северная пчела» 5 сентября 1842 года сообщалось: «На днях поставили небольшой забор на самом видном месте в Петербурге: забором этим обнесли проход для пешеходов на левой стороне Полицейского моста, и все о том заговорили... Здесь устраивают вдоль всего моста род балкона, отчего расширится мост, или, по крайней мере, панель для пешеходов... и зимнее гулянье по Невскому проспекту оттого продолжится за Полицейский мост, до угла Адмиралтейской площади».

В истории Полицейского моста есть один любопытный эпизод: в 1844 году на нем уложили первую в России мостовую из асфальтовых кубиков. Современник-журналист писал в «Северной пчеле»: «Каждый день восхищаюсь я пробным мощением асфальтом на гребне Полицейского моста. Асфальт, вылитый в кубическую форму, выдерживает самую жестокую пробу, потому что едва ли где бывает более езды, как по Полицейскому мосту».

В 1904—1907 годах в связи с прокладкой трамвая мост еще расширили, пристроив несколько арок аналогичной конструкции, и сделали новое оформление по проекту архитектора Л. Ильина: в частности, установили новые металлические фонари, которые существуют и в настоящее время.

Архитектурный облик первого чугунного моста может служить яркой иллюстрацией того, как новый строительный материал порождает и новые архитектурные формы. Чугун почти в пять раз прочнее гранита — это позволило придать арке совершенно иные пропорции, сделать ее гораздо более пологой, тонкой и изящной, чем арки каменных мостов XVIII века. Конструкция моста оказалась очень удачной, и проект Гесте утвердили в качестве «образцового». Это был первый в мире типовой проект металлического моста. В соответствии с ним в конце первого десятилетия XIX века заготовили чугунные блоки для целой серии новых мостов через Мойку.

Во время Отечественной войны 1812 года их строительство было приостановлено. Но уже в 1814 году первым закончили Красный мост на пересечении Мойки и Гороховой улицы (ныне улица Дзержинского). Спустя сто сорок лет его чугунный свод заменили современной стальной конструкцией. Однако внешний вид моста при этом не изменился: советскими реставраторами тщательно восстановлены старинные гранитные обелиски с фонарями и золочеными шарами и дополнительные перила, отделяющие проезжую часть от тротуаров, — это любопытное «мероприятие по технике безопасности движения», предусмотренное еще В. Гесте.

«Младший брат» Зеленого и Красного мостов — Синий — был открыт в 1818 году. Их названия объясняются тем, что прежние деревянные мосты были окрашены в соответствующие цвета.

В начале 40-х годов около Синего моста было закончено строительство Мариинского дворца (теперь в этом здании размещается Исполнительный комитет Ленинградского городского Совета депутатов трудящихся). В 1842—1843 годах мост реконструировали так, что он превратился в продолжение Исаакиевской площади. Ширина его достигает почти ста метров — не только в нашей стране, но и во всем мире он один из самых широких.

Четвертый чугунный мост на Мойке — Поцелуев — был построен в 1816 году. Он расположен на продолжении нынешней улицы Глинки, неподалеку от места пересечения Мойки с Крюковым каналом. Легенда рассказывает, что название возникло оттого, что рядом были казармы Морского экипажа и, уходя в плавание, моряки прощались на мосту со своими возлюбленными... Однако в действительности все было более прозаичным: когда-то у моста, на левом берегу Мойки, находился трактир купца Поцелуева.

В 1907—1908 годах старый чугунный свод моста заменили стальной аркой, спроектированной инженером А. Пшеницким, но внешний вид сооружения изменился сравнительно мало. Сохранились и старинные гранитные обелиски с фонарями; недавно они были отреставрированы, но на одном из них и сейчас видны довольно большие выбоины от осколков фашистского снаряда.

Катастрофическое наводнение 1824 года, так образно описанное в поэме А. С. Пушкина «Медный всадник», разрушило и повредило очень много деревянных мостов. Поэтому во второй половине 1820-х годов и в 1830-х годах в русской столице построили несколько новых чугунных и каменных мостов. По проектам инженеров П. Базена, Е. Адама и Г. Третера — педагогов Петербургского института инженеров путей сообщения — был создан ансамбль в верхнем течении Мойки, между Инженерным (Михайловским) замком и Дворцовой площадью. На мостах установлены очень красивые металлические решетки и фонари, поражающие почти ювелирной тщательностью исполнения. Арки чугунных мостов украшены разнообразными декоративными накладками и кронштейнами, также отлитыми из чугуна.

Знакомство с мостами Мойки лучше всего начать там, где река берет свое начало из Фонтанки недалеко от Инженерного замка.

В 1820-х годах выдающийся русский архитектор К. Росси проложил проезды вдоль Мойки и Фонтанки и продолжил Садовую улицу до Марсова поля, наметив места новых мостов через эти реки.

Пантелеймоновский мост через Фонтанку, построенный в 1823 году инженерами Г. Третером и В. Христиановичем, был первым в России городским транспортным мостом висячей конструкции: его проезжая часть поддерживалась железными цепями, подвешенными к чугунным пилонам.

В период между 1825 и 1837 годами вблизи Инженерного замка по проектам инженера П. Базена построено несколько чугунных и каменных мостов через Мойку, Лебяжий и Воскресенский каналы (последний проходил тогда перед южным фасадом замка).

В конце 20-х годов сооружен Первый Инженерный мост, пересекающий Мойку около Фонтанки. Его

пролет был перекрыт сводом из чугунных блоков-ящиков. На мосту установлены оригинальные фонари-торшеры в виде пучков пик и перила, декорированные изображениями скрещенных мечей и щитов с головой мифической Горгоны Медузы. Арки были оформлены отлитыми из чугуна изображениями воинских доспехов: щитов, шлемов и т. п. У юго-восточного угла Инженерного замка гранитная набережная правого берега Фонтанки прерывается необычным мостом — Вторым Инженерным, под которым сейчас нет протока. Он сооружен около 1830 года и пересекал Воскресенский канал, который позднее засыпали. Однако мост, оформленный красивыми решетками, решили все же сохранить.

Такова же судьба и второго моста «на сухом месте» — в Михайловском саду, рядом с прудом: построенный тоже около 1830 года, он пересекал проток, соединявший пруд с Воскресенским каналом.

В середине 30-х годов вблизи Инженерного замка появились еще два каменных моста, спроектированные инженером П. Базеном: один — теперь он называется Первым Садовым — пересек Мойку на продолжении Садовой улицы (его каменный свод в 1907—1908 гг. был заменен стальной аркой); второй — Нижне-Лебяжий — пересек Лебяжий канал. В рисунке решеток и фонарей обоих мостов использованы многочисленные стилизованные изображения античного оружия. Возможно, их архитектурное оформление разработано при участии К. Росси.

Цепной Пантелеймоновский мост прослужил восемьдесят пять лет. В 1908 году, опасаясь, что мост не выдержит возросших нагрузок от городского транспорта, его разобрали и заменили стальным арочным, построенным по проекту инженера А. Пшеницкого и архитектора Л. Ильина. Для того, чтобы новый мост органично вошел в окружающий архитектурный ансамбль, Ильин оформил его теми же декоративными мотивами (копьями, щитами и т. п.), которые использованы в отделке соседних мостов через Мойку, возведенных в XIX веке.

У юго-западного угла Марсова поля в 1967 году появился Второй Садовый мост. Его пролет перекрыт современной железобетонной конструкцией. Авторы проекта инженер Е. Болтунова и архитектор Л. Носков стремились к тому, чтобы сооружение воспринималось как элемент ансамбля Марсова поля, в который входят здания бывших казарм Павловского гвардейского полка и бывших Императорских конюшен, созданные выдающимся русским зодчим В. Стасовым. Фонари нового моста скопированы с фонарей Первого Садового моста, а перила повторяют решетку одного несохранившегося моста у Нарвских триумфальных ворот, которая предположительно спроектирована тем же архитектором В. Стасовым.

Немного ниже по течению от Второго Садового моста, в том месте, где из Мойки вытекает канал Грибоедова, находится один из самых оригинальных по композиции мостов старого Петербурга. Он состоит из трех частей: однопролетного Мало-Конюшенного моста через Мойку, однопролетного Театрального через исток канала Грибоедова и «ложного». Декоративная чугунная арка последнего, повторяющая очертания настоящей, конструктивной, арки Театрального моста, в совокупности с ней образовала строго симметричную композицию, очень удачно завершившую панораму канала Грибоедова. И эта необычная конструкция и интереснейшее архитектурное убранство созданы в 1829—1830-х годах инженером Г. Третером, немного изменившим существовавший первоначально проект инженера Е. Адама.

Немного раньше, в 1828 году, по проекту Е. Адама и Г. Третера построен Большой Конюшенный мост,

пересекающий Мойку по другую сторону от здания бывших Императорских конюшен.

Против здания Капеллы Мойку пересекает широкий Певческий мост, возведенный в 1838—1840 годах. На нем так же, как и на Красном мосту, сохранились старые ограждения, отделяющие тротуары от проезжей части, но особенно интересна перильная решетка — настоящее кружево из чугуна, поражающее изяществом рисунка и исключительной тонкостью исполнения. И конструкция Певческого моста, и детали его прекрасного архитектурного оформления разработаны инженером Е. Адамом.

Мосты Мойки, возведенные в первой половине XIX века, по праву принадлежат к числу выдающихся произведений русского зодчества. Они идентичны по конструкции (их чугунные арки собраны из блоков-ящиков), но при этом архитектурное оформление почти всегда индивидуально.

«Между мостами столицы, — писал о них В. Курбатов, известный знаток архитектуры Петербурга, — есть несколько таких, которые должны быть отмечены как образцы во всеобщей истории искусства... Ими надо гордиться».

«Львы держат мост» — не правда ли, это звучит несколько странно?

И все же в Ленинграде есть такой мост. Он расположен на красивом изгибе канала Грибоедова, неподалеку от Театральной площади, и так и называется — Львиный. На его устоях — четыре чугунных льва. Дружно упираясь лапами, откинув головы на мускулистых шеях, они держат в своих пастях тонкие железные цепи, к которым подвешен настил моста. Красивый, сильный зверь — не только украшение. Внутри него помещена конструкция из металлических стержней, удерживающих цепи. Композиция моста — интереснейший пример синтеза инженерной конструкции и монументальной скульптуры.

Этим львам аналогичны фантастические златокрылые грифоны, поддерживающие цепи Банковского моста, пересекающего канал Грибоедова недалеко от Казанского собора. С изящным силуэтом моста тонко гармонируют его ажурные перила, восстановленные реставраторами в 1952 году в соответствии с первоначальным проектом.

Львиный и Банковский мосты построены в 1825—1826 годах по проекту инженера Г. Третера. Немного раньше им был спроектирован Почтамтский — мост, соединивший берега Мойки неподалеку от здания Главного почтамта. Цепи его закреплены в устоях при помощи ажурных металлических «квадрантов», завершенных обелисками.

Скульптура Львиного и Банковского мостов отлита по моделям П. Соколова — автора «Девушки с кувшином», известного фонтана в парке Царского Села (ныне город Пушкин).

П. Соколовым были изваяны и четыре сфинкса на Египетском мосту, который пересекает Фонтанку по Лермонтовскому проспекту. Прежний, цепной, Египетский мост был построен в 1826 году Г. Третером и В. Христиановичем. К настоящему времени сохранились только четыре сфинкса.

В январе 1905 года, когда по мосту проходил обоз телег и эскадрон гвардейской кавалерии, он сильно раскачался и обрушился. К счастью, человеческих жертв не было: все выбрались на берег.

В 1955—1956 годах построили новый Египетский мост. Его пролет перекрыт стальной рамной конструкцией, напоминающей по внешнему виду пологую арку. Спроектированный инженером В. Демченко и архитекторами П. Арешевым и В. Васильковским, мост хорошо вписан в панораму Фонтанки.

В его композицию органично вошли и старые чугунные сфинксы, изваянные полтора века назад.

И в Ленинграде, и во многих других городах мира есть немало мостов, украшенных скульптурами. Среди них один из самых знаменитых — Аничков, который соединяет берега Фонтанки на ее пересечении с Невским проспектом.

Старый каменный мост, возведенный в 80-х годах XVIII века, стал со временем тесен, и в 1841 году он был перестроен по проекту инженера И. Бутаца, причем всего за шесть месяцев — по тем временам это было поистине скоростное строительство.

Три пролета Аничкова моста перекрыты каменными арками, узор литой чугунной решетки с изображениями русалок и морских коньков скопирован с решетки Дворцового моста в Берлине, построенного архитектором К. Шинкелем в 20-х годах.

При перестройке моста его решили украсить бронзовыми группами «Укротители коней». Изваянные и отлитые выдающимся русским скульптором П. Клодтом, они принесли мосту заслуженную всемирную славу.

Первоначально, в 1841 году, были установлены только две группы — на западных устоях, а на восточных поставили их гипсовые копии. Через год Клодт перевел их в бронзу, но они были подарены прусскому королю и увезены в Берлин. Клодт изготовил еще одну пару отливок, но и они простояли только два года: в 1846 году их отправили в подарок неаполитанскому королю, а на восточных устоях моста снова поставили гипсовые копии. Тогда Клодт решил создать две совершенно новые скульптурные группы, не повторяющие композицию прежних, а развивающие их тему. В 1849—1850 годах они были отлиты в бронзе и установлены на восточной стороне моста.

Осенью 1941 года, когда враг подошел к Ленинграду и в городе стали рваться фашистские бомбы и снаряды, клодтовских «Укротителей коней» поместили в специальные ямы, вырытые в Саду отдыха (он находится на Невском проспекте, неподалеку от Аничкова моста). Это уберегло бесценные скульптуры: действительно, на мосту разорвалось несколько снарядов, и глубокие выбоины, оставленные их осколками на гранитных пьедесталах, напоминают о суровых годах блокады. В конце весны 1945 года скульптуры были подняты из своих укрытий и установлены на прежние места.

Созданные Клодтом группы «Укротители коней» — это развернутая художественная аллегория, рассказывающая о борьбе Человека и Стихии: человек покоряет, подчиняет своей воле дикие, необузданные силы природы. В истории мирового искусства можно найти не много произведений, в которых эта мысль была бы выражена так же зримо и убедительно.

Но не только глубиной мысли, столь созвучной нашей современности, захватывают нас эти композиции. Они доставляют огромное эстетическое наслаждение именно потому, что замысел скульптора воплощен в удивительно совершенной художественной форме. Талант Клодта наполнил холодный металл биением жизни, превратил ансамбль скульптур Аничкова моста в волнующую поэму о Человеке.

В те годы, когда была написана бессмертная поэма А. С. Пушкина «Медный всадник», капитальные мосты из камня, железа и чугуна «повисли» только над протоками и каналами южной части невской дельты. Главное русло Невы вплоть до середины XIX века пересекали только наплавные деревянные мосты. Правда, уже в последние десятилетия XVIII века стали появляться проекты невских мостов постоянного типа, но осуществить их не удавалось. Большая глубина Невы, рыхлые грунты ее русла и мощный ледоход создавали трудности, которых строительная техника тех лет преодолеть не могла.

Первый постоянный металлический мост через Неву был возведен только в середине XIX века. Его строительство началось в 1843 и закончилось в 1850 году. Мост соединил берега Невы против Благовещенской площади (ныне площадь Труда) и создал удобную связь Васильевского острова с левым берегом. Сначала мост назывался Благовещенским, а в 1855 году был переименован в Николаевский.

Проект этого монументального сооружения разработал петербургский инженер С. Кербедз, а перила спроектировал архитектор Александр Брюллов (брат известного живописца Карла Брюллова). Пролеты моста перекрывались чугунными арками, а у правого берега был устроен разводной пролет, через который пропускали морские суда.

В канун Октябрьского вооруженного восстания 1917 года Николаевский мост по распоряжению буржуазного Временного правительства захватили юнкера. Они развели крылья пролета, чтобы не пропустить на левый берег революционные войска и красногвардейцев Васильевского острова.

По предписанию Военно-революционного комитета Петрограда 25 октября 1917 года крейсер «Аврора» встал у моста на якорь. Юнкера вынуждены были оставить мост. Судовым электрикам удалось сомкнуть крылья пролета, и путь с Васильевского острова к центру Петрограда был открыт. А когда закончилась подготовка к взятию Зимнего дворца, из-за Николаевского моста прогремел всемирно известный исторический выстрел «Авроры».

Вскоре после Великой Октябрьской социалистической революции Николаевский мост назвали именем выдающегося русского революционера лейтенанта П. П. Шмидта, возглавившего восстание севастопольских матросов в ноябре 1905 года.

В 1936—1938 годах мост капитально перестроили по проекту инженера Г. Передерия в связи с тем, что он стал слишком узким и тесным не только для городского транспорта, но и для современных речных и морских судов. Пролеты перекрыли длинными стальными балками, разводной сделали среднюю часть — над самым глубоким местом реки. Главная техническая особенность моста в том, что все стальные конструкции выполнены с помощью электросварки без единой заклепки. В 1930-х годах это было смелым техническим нововведением. Мост Лейтенанта Шмидта — один из самых крупных в мире сварных мостов, созданных в предвоенные годы.

На реконструированном мосту установили его прежнюю решетку с морскими коньками, а фонари пришлось заменить, так как они не могли выдержать веса трамвайных и троллейбусных проводов. Новые фонари спроектировал архитектор Л. Носков, а старые использовали для освещения центра Марсова поля. Пригодились и чугунные арки старого Николаевского моста: они оказались в таком хорошем состоянии, что в 1953—1956 годах из них соорудили мост через Волгу в городе Калинине.

Второй металлический железный арочный мост — Литейный — пересек Неву против Литейного проспекта; он был сооружен в 1875—1879 годах инженером А. Струве и просуществовал почти девяносто лет; в конце 1960-х годов его капитально реконструировали с учетом современной техники.

Третий металлический мост — Троицкий — соединил берега Невы между Марсовым полем и Троицкой площадью (ныне площадь Революции). Мост возведен в 1897—1903 годах по проекту, разработанному

французской строительной фирмой «Батиньоль». Специализировавшаяся в области строительства крупных сооружений из стали, эта фирма сумела одержать победу на двух международных конкурсах, которые были проведены Петербургской городской думой в 1892 и в 1896 годах.

В разработке окончательного проекта и в строительстве приняли участие многие инженеры и архитекторы Петербурга: Н. Белелюбский, А. Веретенников, Л. Новиков и другие. Кроме того, петербургской Академией художеств была создана специальная комиссия в составе ведущих архитекторов Л. Бенуа, А. Померанцева, Г. Котова и других, которая рассматривала проекты и нередко вносила свои довольно существенные коррективы.

Мост был торжественно открыт в 1903 году, в дни празднования 200-летия Петербурга.

Силуэт моста отличается великолепно найденными пропорциями. Его пролеты плавно увеличиваются от берегов к середине реки. Это удобно для судоходства, и в то же время такой ритм пролетов создает своеобразную иллюзию нарастающего движения, придает мосту удивительную легкость и стройность.

Красивая трехпролетная каменная эстакада у правого берега, спроектированная инженером Г. Кривошеиным, своими овальными гранитными арками эффектно оттенила ажурность стальных ферм средней части.

Перила, фонари, столбы контактной сети трамвая и нарядные обелиски у въезда со стороны Марсова поля выполнены по проекту французских архитекторов В. Шаброля и Р. Патульяра. В их прорисовке ощущается влияние стиля «модерн», распространившегося в западной и русской архитектуре на рубеже XIX и XX веков.

В 1934 году мост был назван Кировским в память о руководителе ленинградских коммунистов.

В 1966—1967 годах мост частично реконструировали. Старая система его разводного пролета, расположенного у левого берега Невы, была переделана, так как не удовлетворяла требованиям судоходства, которые возникли в связи с сооружением нового Волго-Балтийского водного пути. Вместо тяжелого и некрасивого двукрылого «турникета» было сконструировано стальное 43-метровое крыло, раскрывающееся вверх. А у самого берега сооружена железобетонная, облицованная гранитом арка, повторяющая форму арок старой каменной эстакады у правого берега. Проект реконструкции разводной части разработан в институте «Ленгипротрансмост» под руководством инженера Г. Степанова и архитектора Ю. Синицы. В итоге намного улучшились условия судоходства, а архитектурный облик Кировского моста стал намного более цельным и законченным.

Большой Охтинский мост, возведенный в 1908—1911 годах по проекту инженера Г. Кривошеина и архитектора В. Апышкова, пересек Неву немного выше по течению от того места, где в нее впадает река Охта. Разводной пролет предусмотрен в центре речного русла, а боковые части перекрыты без промежуточных опор двумя длинными, 136-метровыми, стальными фермами арочного типа, к которым снизу подвешена проезжая часть.

Мост очень удобен для судоходства, однако архитектурные достоинства его представляются весьма сомнительными. Мощные фермы, расположенные над проезжей частью, загромождают панораму Невы, на берегу которой в этом месте находится замечательный памятник русской архитектуры середины XVIII века — Смольный монастырь. Откровенный «инженеризм» облика Большого Охтинского моста — следствие чисто утилитарного подхода к его проектированию. До Октября 1917 года Охта была далекой рабочей окраиной,

и поэтому проектировщиков мало волновал вопрос, как мост будет «увязан» с панорамой Невы.

Иные архитектурные принципы легли в основу композиции Дворцового моста. Он соединил левый берег Невы со Стрелкой Васильевского острова вблизи Зимнего дворца, и поэтому его архитектурно-художественному решению уделялось особое внимание. Было решено сделать мост низким, как бы стелющимся над водой, чтобы не закрывать великолепную панораму невских набережных. Разводной пролет шириной около 55 метров размещен в середине русла реки. Он сконструирован в виде двух стальных крыльев, раскрывающихся вверх. Длина пролетов нарастает от берегов к середине реки, а контуры моста очерчены по плавным кривым линиям. Такие приемы позволили создать очень цельную ритмичную архитектурную композицию. Облик моста строг и монументален. Большие пролеты и суровая мощь гранитных опор хорошо отвечают величавому простору Невы и архитектуре окружающих ансамблей.

Проектировал Дворцовый мост инженер А. Пшеницкий. Строительство началось в 1912 году, но первая мировая война задержала окончание работ. Мост открыли для движения в канун 1917 года, хотя его архитектурная отделка еще не была завершена.

Сооружением пяти городских металлических мостов была обеспечена надежная связь между берегами Невы в центральной части города. Однако растущему социалистическому Ленинграду необходим был новый мост через Неву в восточной части города, на бывших далеких окраинах, там, где на прежних пустырях и на местах маленьких деревушек развернулось огромное жилищное и промышленное строительство. Этот мост был построен в 1932—1936 годах и назван в память видного революционера В. Володарского, предательски убитого 20 июня 1918 года в этом районе.

Проект Володарского моста разработали инженер Г. Передерий и архитектор К. Дмитриев при консультации архитектора А. Никольского. Средний пролет моста — разводной, его стальные крылья изготовлены при помощи электросварки — это был один из первых в мировой практике примеров подобной конструкции разводного пролета.

Строгий и подчеркнуто современный облик Володарского моста гармонирует с общим характером окружающей застройки, сложившейся в наше время. Хорошо найденные пропорции, ясность и четкость архитектурной композиции, благородная простота и конструктивная правдивость форм — все это позволяет отнести его к числу наиболее выдающихся произведений советского мостостроения.

Второй крупный железобетонный мост, названный в память выдающегося русского полководца Александра Невского, пересек Неву в 1965 году в том месте, где к ней близко подходит Невский проспект.

Мост спроектирован инженерами института «Ленгипротрансмост» под руководством А. Евдонина. Архитектурное решение разработано А. Жуком, С. Майофисом и Ю. Синицей. У въездов сооружены сложные транспортные «развязки», разработанные в институте «Ленгипроинжпроект» инженерами Ю. Бойко, А. Гудцайтом и другими.

В облике моста сказалось характерное для советской архитектуры конца 1950—начала 1960-х годов стремление к простоте, экономичности и инженерной целесообразности. Оно предопределило и разбивку на пролеты, и выбор конструкций. Средний пролет — разводной. Его ширина — около 50 метров — продиктована требованиями судоходства. Обе боковые трехпролетные части моста перекрыты очень длинными балками из так называемого предварительно-напряженного железобетона. Их пролеты достигают 123,5

метра. При сооружении моста применены наиболее прогрессивные методы строительства. Железобетонные балки моста собраны из отдельных блоков. Их заготавливали на берегу, затем ставили на мощные плавучие системы и медленно везли к опорам моста. Здесь, тщательно регулируя положение блока, устанавливали его под опорами, — причем точность установки многотонной махины измерялась миллиметрами! Затем в понтоны накачивали воду, и блок балки медленно опускался, «садясь» на опоры.

Тот же метод доставки по воде готовых больших кусков моста, смонтированных на берегу, был успешно применен и при капитальной реконструкции Литейного моста, созданного по проекту института «Ленгипротрансмост» под руководством инженера Л. Вильдгрубе и архитектора Ю. Синицы.

Старый Литейный мост, построенный в 70-х годах XIX века, уже не мог пропускать мощные потоки современного городского транспорта. К тому же его разводной пролет, расположенный у самого берега, был тесен и мелок для многочисленных крупных морских судов, которые стали приходить в Ленинград из Волго-Балтийского канала.

В новом Литейном мосту использованы хорошо сохранившиеся старые подводные части опор. Пролеты перекрыты длинными стальными балками, очертания которых прорисованы по плавным кривым линиям, а опоры облицованы светло-розовым гранитом. Облик нового моста в известной мере перекликается с контурами его предшественника, но в то же время выглядит вполне современно.

Разводной однокрылый пролет Литейного моста — выдающееся достижение советской строительной техники. Он имеет исключительно большие размеры: длина крыла — 55 метров, ширина — 34 метра, а его вес — 3225 тонн — своеобразный мировой рекорд.

И такая внушительная разводная часть принимает почти вертикальное положение, причем полный подъем длится всего две минуты!

На мосту сохранили, отреставрировав, прежнюю решетку, изготовленную по проекту петербургского архитектора К. Рахау. Она интересна не только высокой тщательностью исполнения, но и тем, что в ее композицию включен старинный герб Петербурга: щит со скрещенными якорями.

За Литейным мостом, в нескольких сотнях метров ниже по течению Невы, вправо отходит ее самый длинный северный рукав — Большая Невка. Здесь, у закругленного мыса Петроградской стороны, стоит на вечной стоянке крейсер «Аврора», а берега Большой Невки соединяет мост Свободы, сооруженный в 1954—1956 годах и сменивший старый деревянный мост XIX века. Проектировщики инженер В. Демченко и архитектор Л. Носков стремились придать ему очертания, традиционные для мостов старой части Ленинграда. Средняя пятипролетная часть моста Свободы с ее центральным разводным пролетом спроектирована как прямое повторение соответствующих конструкций Каменноостровского и Ушаковского мостов, строительство которых было завершено на год раньше. Мост Свободы интересен в деталях, но его пролеты кажутся слишком мелкими по сравнению с шириной Невы в этом месте.

Большой творческой удачей ленинградских инженеров и архитекторов явился новый металлический мост Строителей, соединивший в 1960 году Васильевский остров с Петроградской стороной. Его проектирование было очень сложной и ответственной градостроительной задачей: сменив старый, деревянный, он должен был органично войти в замечательный архитектурный ансамбль Стрелки Васильевского острова, созданный в начале XIX века.

Плавно закругленный мыс Стрелки разделяет течение Невы на два почти равных по ширине рукава — Большую и Малую Неву. Это было очень умело учтено русскими зодчими.

Одна из главных особенностей ансамбля Стрелки — строго симметричная композиция. Монументальное здание бывшей Биржи (ныне в нем размещен Центральный военно-морской музей), спроектированное Тома де Томоном, было по предложению архитектора А. Захарова поставлено строго по оси мыса. По сторонам полукруглой площади — две Ростральные колонны; два одинаковых пологих пандуса плавно спускаются к воде. Развивая заложенный в основу ансамбля принцип строгой симметрии, архитектор И. Лукини в конце 1820-х годов возвел по сторонам Биржи два одинаковых здания пакгаузов, а с севера — здание Таможни (ныне Институт русской литературы); купол ее зрительно уравновешивает башенку петровской Кунсткамеры в общем силуэте Стрелки. Строгость и монументальность ансамбля сочетаются с тонко найденным равновесием архитектурных масс. Эти черты определили и облик моста Строителей.

Так как левый рукав Невы у Стрелки пересекает пятипролетный металлический Дворцовый мост, то было решено и мост Строителей сделать тоже пятипролетным и тоже металлическим. Повторив в общих чертах силуэт Дворцового моста, инженеры В. Демченко и Б. Левин и архитекторы Л. Носков и П. Арешев решили применить более современные и совершенные конструкции, перекрыв пролеты стальными арками. У моста Строителей — как и у Дворцового — размеры пролетов плавно нарастают от берегов к середине русла, а средний тоже сделан разводным. Но он сконструирован так, что в сомкнутом виде похож на арку и благодаря этому не нарушает общего ритма линий всей конструкции.

Отличаясь удивительной композиционной законченностью, мост прекрасно гармонирует и со всем ансамблем Стрелки Васильевского острова, и с величавым простором Невы.

Через пять лет после завершения моста Строителей, в ноябре 1965 года был открыт второй капитальный мост, соединивший берега Малой Невы. Его название — Тучков — связано с фамилией крупного лесопромышленника, владевшего в XVIII веке складами леса на правом берегу Малой Невы и финансировавшего строительство на этом месте еще в 1758 году первого, деревянного моста. Однако, если название — одно из самых старых, то конструкция моста, напротив, отличается новизной технических решений.

Средний пролет сделан разводным: он состоит из двух стальных крыльев, раскрывающихся вверх. Боковые пролеты, длина каждого из которых равна 74 метрам, перекрыты конструкциями из предварительно-напряженного железобетона. Оригинальность и большая экономичность конструкции не только облегчили строительство: изящные очертания необычно тонких балок эффектно контрастируют с гранитными массивами опор, наглядно выявляя высокую прочность железобетона.

Тучков мост, спроектированный в институте «Ленгипроинжпроект» инженерами В. Демченко, Б. Левиным и архитекторами Л. Носковым и П. Арешевым, может быть по праву отнесен к числу самых красивых мостов Ленинграда. Это один из лучших образцов современного направления в архитектуре мостов, которое отличается стремлением к строгости, стройности силуэта и подчеркнутой смелостью конструктивных решений. Крупные размеры пролетов, простые и четкие формы Тучкова моста хорошо согласованы с простором реки. Его силуэт внес новую, современную ноту в панораму невских набережных.

В иной архитектурной «тональности» задуман ансамбль мостов и набережных Карповки — протока, который отделяет от Петроградской стороны ее северную часть — Аптекарский остров. Небольшая ширина Карповки, ее живописные излучины предопределили некрупный, как бы «камерный» масштаб мостов.

Раньше все мосты через Карповку были деревянными. Первый капитальный мост — Пионерский — пересек ее в 1936 году. Его пролет перекрыт железобетонным сводом красивого эллиптического очертания. Фасады моста облицованы гранитом; такая импозантная архитектурная обработка была предусмотрена авторами проекта инженером А. Саперштейн и архитектором К. Дмитриевым потому, что мост находится на главной магистрали Петроградской стороны — Кировском проспекте.

В 60-х годах развернулись работы по облицовке берегов Карповки гранитом. Ее новые набережные завершаются ажурной железной решеткой, рисунок которой оригинален, но в то же время напоминает перильные ограждения старых петербургских каналов. Одновременно были перестроены и мосты через Карповку: большинство сооружено из экономичных стандартных сборных железобетонных конструкций, разработанных инженерами института «Ленгипроинжпроект». Их изящные силуэты отвечают общему характеру архитектурного пейзажа Карповки.

В северной части невской дельты располагаются три больших острова: Каменный (ныне Трудящихся), Елагин и Крестовский. Основную часть их территории занимают обширные парки.

Нева здесь делится на несколько довольно широких рукавов: Большую, Малую, Среднюю Невки и Крестовку — и, кроме того, на много безыменных узких протоков, которые пересекают острова, соединяют друг с другом их пруды. Обилие воды и зелени делает эту часть города особенно живописной. Теперь на северных островах невской дельты создана зона отдыха и спорта.

Мостов в этом районе Ленинграда особенно много. Подавляющее большинство их — деревянные пешеходные, сравнительно скромных размеров, однако есть и несколько крупных городских — стальных и железобетонных.

В 1955 году было завершено создание своеобразного ансамбля из двух мостов у восточной Стрелки Каменного острова (авторы проекта — инженеры В. Демченко, Б. Левин, архитекторы П. Арешев и В. Васильковский). Малую Невку пересек пятипролетный металлический Каменноостровский мост, со средним разводным пролетом. Его «сосед» — Ушаковский мост, названный в честь выдающегося русского флотоводца XVIII века, соединяет берега Большой Невки. Он длиннее Каменноостровского, поэтому для унификации конструкций проектировщики сделали его среднюю пятипролетную часть точным повторением конструкции Каменноостровского моста, а у берегов соорудили двухпролетные аркады, облицованные гранитом.

В первой половине 50-х годов советские архитекторы увлекались формами классицизма, что заметно сказалось в оформлении обоих мостов. Авторы Каменноостровского и Ушаковского мостов стремились опереться на архитектурные традиции петербургского мостостроения начала XIX века и поэтому фасадам стальных балок придали очертания пологих арок. Мосты у Стрелки Каменного острова отличаются довольно цельной архитектурной композицией, а стилизация, характерная для их облика, выполнена со вкусом. Спокойные, плавные очертания мостов хорошо перекликаются с окружающим садово-парковым ландшафтом.

К началу 60-х годов советские архитекторы отказались от стилизации «под классицизм» — они активно искали новые формы, отражающие особенности современных строительных материалов и конструкций. Строгость, простота, конструктивная логика стали основными чертами современного архитектурного стиля. Они проявились в облике многих новых железобетонных мостов, соединивших берега ленинградских каналов в течение последнего десятилетия. Один из самых ярких примеров — Мало-Крестовский мост, построенный в 1962 году по проекту инженера Ю. Юркова и архитектора Л. Носкова. Он пересекает Крестовку — короткий проток, отделяющий Крестовский остров от Каменного. В архитектурной композиции моста лаконизм и строгость сочетаются с особой стройностью и динамичностью. Мост словно застыл в стремительном прыжке — в его облике есть что-то спортивное, созвучное окружающей зеленой зоне спорта и отдыха.

Советские инженеры и архитекторы достойно продолжили и развили традиции старых петербургских мостостроителей. Но за последние десятилетия техника намного шагнула вперед, и это наглядно проявилось при создании ленинградских мостов. Широкое использование новейших конструкций из стали, алюминия и предварительно-напряженного железобетона, применение прогрессивных методов монтажа из укрупненных сборных элементов — таков творческий почерк советских инженеров.

Новые мосты Ленинграда отличаются большим разнообразием конструктивных и архитектурных решений. В их числе — и очень крупные сооружения из стали и железобетона, с могучими крыльями и «мускулами» разводных пролетов, соединившие берега Невы, и небольшие арочные, балочные и рамные мосты, стройные силуэты которых встали над ленинградскими каналами, отражаясь в их спокойных свинцовых водах.

Мост всегда достаточно активно «звучит» в пейзаже реки и города. Хорошо понимая ту роль, которую играют мосты в формировании облика Ленинграда, советские архитекторы органично вписали их в панорамы каналов и протоков невской дельты. Облик ряда мостов, расположенных в старой части города, стилизован «под классицизм»; использование этого художественного приема привело к тому, что новые сооружения «сжились» с окружающей архитектурой. Мосты, возведенные в других районах Ленинграда, в окружении новых зданий, отличаются, напротив, подчеркнуто современным архитектурным обликом.

Мосты Ленинграда — неотъемлемая часть его архитектурных ансамблей, его жизни, его славной и героической истории.

В коротком очерке невозможно рассказать о всех мостах города — упомянуты лишь некоторые из них, наиболее интересные своей конструкцией или архитектурным оформлением.

Для того, чтобы в полной мере почувствовать всю красоту и гармонию Ленинграда, нужно побродить по берегам Невы, вслушаться в тихий плеск ее волн, всмотреться в очертания зданий, мостов, набережных, рек и каналов.

И тогда раскроется во всем очаровании город на Неве — город удивительный и неповторимый.

A century — and that city young,
Gem of the Northern world, amazing,
From gloomy wood and swamp upsprung,
Had risen, in pride and splendour blazing.
. . . .
The Neva now is clad in granite
With many a bridge to overspan it;
The islands lie beneath a screen
Of gardens deep in dusky green.

A. Pushkin, *The Bronze Horseman*
(translated by Oliver Elton)

...юный град,
Полнощных стран краса и диво,
Из тьмы лесов, из топи блат
Вознесся пышно, горделиво;
. . . .
В гранит оделася Нева;
Мосты повисли над водами;
Темно-зелеными садами
Ее покрылись острова...

А. С. Пушкин. «Медный всадник»

St. Petersburg's First Bridges

IOANNOVSKY BRIDGE 1—5
ABUTMENTS OF THE FORMER ST. ISAAC'S PONTOON
BRIDGE 6—8

Первые мосты Петербурга

ИОАННОВСКИЙ 1—5
УСТОИ БЫВШЕГО ИСААКИЕВСКОГО МОСТА 6—8

2 3

4   5

7

8

Bridges near the Summer Gardens

UPPER SWAN BRIDGE 9, 11
LAUNDRY BRIDGE 12—15

Мосты у решетки Летнего сада

ВЕРХНЕ-ЛЕБЯЖИЙ 9, 11
ПРАЧЕЧНЫЙ 12—15

Bridges over the Winter Canal

HÉRMITAGE BRIDGE 16, 17, 19—21
FIRST WINTER BRIDGE 16, 19
SECOND WINTER BRIDGE 16, 19

Мосты Зимней канавки

ЭРМИТАЖНЫЙ 16, 17, 19—21
ПЕРВЫЙ ЗИМНИЙ 16, 19
ВТОРОЙ ЗИМНИЙ 16, 19

Bridges over the Griboyedov Canal

KAZAN BRIDGE 22—24
STONE BRIDGE 25—27

Мосты канала Грибоедова

КАЗАНСКИЙ 22—24
КАМЕННЫЙ 25—27

26

27

Old Kolomna Bridges

BRIDGES OVER KRIUKOV CANAL 28—32, 37—39
PIKALOV BRIDGE 32—34
RED GUARDS BRIDGE 35, 36

Над каналами старой Коломны

МОСТЫ КРЮКОВА КАНАЛА 28 –32, 37 –39
ПИКАЛОВ МОСТ 32—34
КРАСНОГВАРДЕЙСКИЙ МОСТ 35, 36

Fontanka Granite Bridges

LOMONOSOV BRIDGE 40—45
OLD KALINKIN BRIDGE 46, 47

Гранитные мосты Фонтанки

ЛОМОНОСОВА 40—45
СТАРО-КАЛИНКИН 46, 47

44

45

First Cast-iron Bridges

PEOPLE'S BRIDGE 48—51
RED BRIDGE 52, 53
BLUE BRIDGE 54
POTSELUYEV BRIDGE 55

Первые чугунные мосты

НАРОДНЫЙ 48—51
КРАСНЫЙ 52, 53
СИНИЙ 54
ПОЦЕЛУЕВ 55

49

50

Bridges between Engineers' Castle and Palace Square

FIRST ENGINEERS' BRIDGE 57—61

SECOND ENGINEERS' BRIDGE 62—64

BRIDGE OVER THE FILLED-UP CREEK IN MIKHAILOVSKY GARDEN 65, 66

PESTEL BRIDGE 67, 68

LOWER SWAN BRIDGE 56, 69, 70

FIRST GARDEN BRIDGE 56, 69, 71

SECOND GARDEN BRIDGE 72, 73

THEATRE BRIDGE 74, 75, 78

MALO-KONIUSHENNY BRIDGE 74—77, 79

GREAT KONIUSHENNY BRIDGE 80—83

KAPELLE BRIDGE 84—86

Мосты от Инженерного замка до Дворцовой площади

ПЕРВЫЙ ИНЖЕНЕРНЫЙ 57—61

ВТОРОЙ ИНЖЕНЕРНЫЙ 62—64

МОСТ ЧЕРЕЗ ЗАСЫПАННЫЙ ПРОТОК В МИХАЙЛОВСКОМ САДУ 65, 66

ПЕСТЕЛЯ 67, 68

НИЖНЕ-ЛЕБЯЖИЙ 56, 69, 70

ПЕРВЫЙ САДОВЫЙ 56, 69, 71

ВТОРОЙ САДОВЫЙ 72, 73

ТЕАТРАЛЬНЫЙ 74, 75, 78

МАЛО-КОНЮШЕННЫЙ 74—77, 79

БОЛЬШОЙ КОНЮШЕННЫЙ 80—83

ПЕВЧЕСКИЙ 84—86

59   60

62

St. Petersburg's Suspension Bridges

LIONS' BRIDGE 87—89
BANK BRIDGE 90—94
POST OFFICE BRIDGE 95, 96
EGYPTIAN BRIDGE 97, 98

Цепные мосты Петербурга

ЛЬВИНЫЙ 87—89
БАНКОВСКИЙ 90—94
ПОЧТАМТСКИЙ 95, 96
ЕГИПЕТСКИЙ 97, 98

97   98

Anichkov Bridge 99—104

Аничков мост 99—104

102

103

104

Bridges over the Neva

LIEUTENANT SCHMIDT BRIDGE 107—109
KIROV BRIDGE 105, 110—114
GREAT OKHTA BRIDGE 115—119
PALACE BRIDGE 106, 120—122
VOLODARSKY BRIDGE 123—125
ALEXANDER NEVSKY BRIDGE 126—128
LITEINY BRIDGE 129—132

Мосты Невы

ЛЕЙТЕНАНТА ШМИДТА 107—109
КИРОВСКИЙ 105, 110—114
БОЛЬШОЙ ОХТИНСКИЙ 115—119
ДВОРЦОВЫЙ 106, 120—122
ВОЛОДАРСКИЙ 123—125
АЛЕКСАНДРА НЕВСКОГО 126—128
ЛИТЕЙНЫЙ 129—132

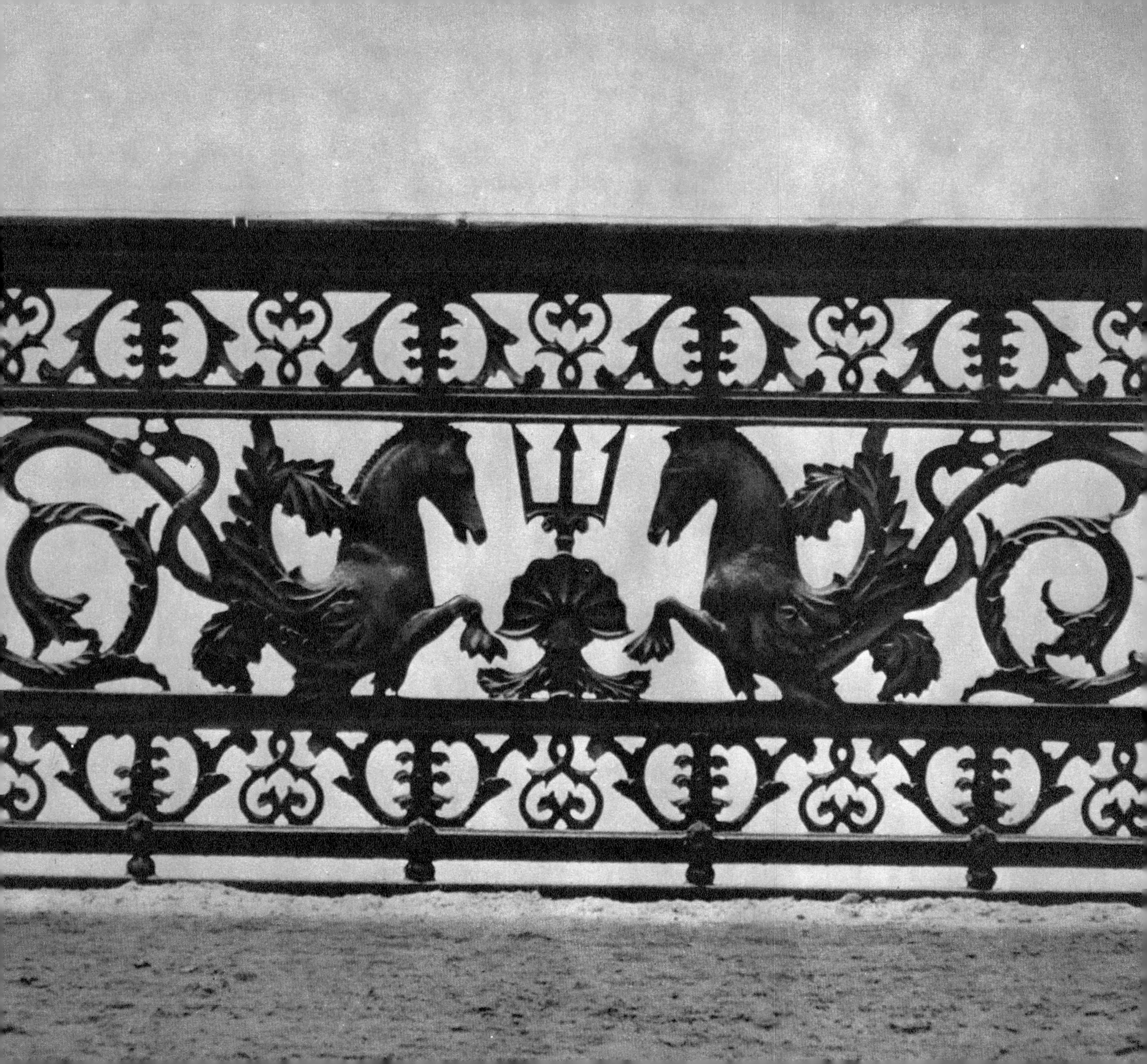

Bridges over Northern Branches of the Neva

FREEDOM BRIDGE 133
BUILDERS' BRIDGE 134, 135
TUCHKOV BRIDGE 137
PIONEERS' BRIDGE 138, 139
USHAKOV BRIDGE 140—143
MALO-KRESTOVSKY BRIDGE 144

Мосты над северными протоками Невы

СВОБОДЫ 133
СТРОИТЕЛЕЙ 134, 135
ТУЧКОВ 137
ПИОНЕРСКИЙ 138, 139
УШАКОВСКИЙ 140—143
МАЛО-КРЕСТОВСКИЙ 144

141   142

ST. PETERSBURG'S FIRST BRIDGES

1   Kronwerk Channel near Ioannovsky Bridge
2—5   Ioannovsky Bridge
6—8   Abutments of the former St. Isaac's pontoon bridge over the Neva

BRIDGES NEAR THE SUMMER GARDENS

9   Upper Swan Bridge
10   Swan Canal
11   Railings of the Summer Gardens near the Upper Swan Bridge
12   The Fontanka near the Laundry Bridge
13—15   Laundry Bridge

BRIDGES OVER THE WINTER CANAL

16   Winter Canal. In the foreground, Second Winter Bridge; further back, First Winter Bridge and Hermitage Bridge. Seen also is the overpass connecting the Old Hermitage (left) with the Hermitage Theatre
17   Hermitage Bridge
18   Stone steps leading to the water under the Hermitage
19   Winter Canal
20, 21   The Neva near the Hermitage Bridge

BRIDGES OVER THE GRIBOYEDOV CANAL

22   Griboyedov Canal with Kazan Bridge in the distance
23, 24   Kazan Bridge
25—27   Stone Bridge

OLD KOLOMNA BRIDGES

28   Kriukov Canal near St. Nicholas's Cathedral
29   Bridges over Kriukov Canal: in the foreground, Torgovy Bridge; seen beyond it are Kashin, Old Nikolsky and Smezhny bridges

30, 31   Intersection of Kriukov Canal and Griboyedov Canal
32   Kriukov Canal and Griboyedov Canal. Left, Pikalov Bridge and Red Guards Bridge over Griboyedov Canal; right, Old Nikolsky Bridge over Kriukov Canal
33, 34   Pikalov Bridge
35, 36   Red Guards Bridge
37, 38   Matveyev Bridge over Kriukov Canal
39   Confluence of the Fontanka and Kriukov Canal. Left, Smezhny Bridge; right, Red Army Bridge over the Fontanka

FONTANKA GRANITE BRIDGES

40—45   Lomonosov Bridge
46, 47   Old Kalinkin Bridge

FIRST CAST-IRON BRIDGES

48—51   People's Bridge
52, 53   Red Bridge
54   Blue Bridge
55   Potseluyev Bridge

BRIDGES BETWEEN ENGINEERS' CASTLE AND PALACE SQUARE

56   The Moika near Engineers' Castle
57—61   First Engineers' Bridge
62—64   Second Engineers' Bridge over Voskresensky Canal (now filled up)
65, 66   Bridge over the filled-up creek in the Mikhailovsky Garden
67, 68   Pestel Bridge
69   The Moika near Engineers' Castle. In the distance, First Garden Bridge; on its right, Lower Swan Bridge
70   Lower Swan Bridge
71   First Garden Bridge
72, 73   Lamp-post and fragment of the railings of Second Garden Bridge

74, 75	Theatre Bridge over Griboyedov Canal (left) and Malo-Koniushenny Bridge over the Moika (right)
76, 77	Malo-Koniushenny Bridge
78	Theatre Bridge
79	The Moika near the former Imperial stables
80	The Moika near Great Koniushenny Bridge
81—83	Great Koniushenny Bridge
84	The Moika near its confluence with Winter Canal. In the distance, Kapelle Bridge; right, Second Winter Bridge over Winter Canal
85, 86	Kapelle Bridge

ST. PETERSBURG'S SUSPENSION BRIDGES

87—89	Lions' Bridge over Griboyedov Canal
90—94	Bank Bridge over Griboyedov Canal
95, 96	Post Office Bridge over the Moika
97, 98	Egyptian Bridge over the Fontanka

ANICHKOV BRIDGE

| 99, 100 | Anichkov Bridge |
| 101—104 | Sculptured groups adorning Anichkov Bridge |

BRIDGES OVER THE NEVA

105	The Neva near Kirov Bridge
106	The Neva near Vasilyevsky Island Spit
107—109	Lieutenant Schmidt Bridge
110—114	Kirov Bridge
115—119	Great Okhta Bridge
120—122	Palace Bridge
123—125	Volodarsky Bridge
126—128	Alexander Nevsky Bridge
129—132	Liteiny Bridge

BRIDGES OVER NORTHERN BRANCHES OF THE NEVA

133	Freedom Bridge
134	Vasilyevsky Island Spit. Right, Builders' Bridge
135	Builders' Bridge
136	Pavilion near Tuchkov Bridge
137	Tuchkov Bridge
138, 139	Pioneers' Bridge
140—142	Ushakov Bridge
143	Bolshaya Nevka embankment with Ushakov Bridge
144	Malo-Krestovsky Bridge
145	The Bolshaya Nevka

ПЕРВЫЕ МОСТЫ ПЕТЕРБУРГА

1   Кронверкский проток у Иоанновского моста
2—5 Иоанновский мост
6—8 Устои бывшего Исаакиевского наплавного моста через Неву

МОСТЫ У РЕШЕТКИ ЛЕТНЕГО САДА

9   Верхне-Лебяжий мост
10   Лебяжий канал
11   Ограда Летнего сада у Верхне-Лебяжьего моста
12   Фонтанка у Прачечного моста
13—15 Прачечный мост

МОСТЫ ЗИМНЕЙ КАНАВКИ

16   Зимняя канавка. На первом плане — Второй Зимний мост, вдали — Первый Зимний мост, Эрмитажный мост и переход, соединяющий здания Старого Эрмитажа (слева) и Эрмитажного театра
17   Эрмитажный мост
18   Спуск к воде под эрмитажным переходом
19   Зимняя канавка
20, 21 Нева у Эрмитажного моста

МОСТЫ КАНАЛА ГРИБОЕДОВА

22   Канал Грибоедова. Вдали — Казанский мост
23, 24 Казанский мост
25—27 Каменный мост

НАД КАНАЛАМИ СТАРОЙ КОЛОМНЫ

28   Крюков канал у Никольского собора
29   Мосты Крюкова канала: Торговый (на переднем плане), Кашин, Старо-Никольский и Смежный
30, 31 Пересечение Крюкова канала и канала Грибоедова
32   Крюков канал и канал Грибоедова. Слева — Пикалов мост и пешеходный Красногвардейский на канале Грибоедова; справа — Старо-Никольский мост на Крюковом канале

33, 34 Пикалов мост
35, 36 Красногвардейский мост
37, 38 Матвеев мост через Крюков канал
39   У слияния Крюкова канала с Фонтанкой. Слева — Смежный мост, справа — Красноармейский мост через Фонтанку

ГРАНИТНЫЕ МОСТЫ ФОНТАНКИ

40—45 Мост Ломоносова
46, 47 Старо-Калинкин мост

ПЕРВЫЕ ЧУГУННЫЕ МОСТЫ

48—51 Народный мост
52, 53 Красный мост
54   Синий мост
55   Поцелуев мост

МОСТЫ ОТ ИНЖЕНЕРНОГО ЗАМКА ДО ДВОРЦОВОЙ ПЛОЩАДИ

56   Мойка у Инженерного замка
57—61 Первый Инженерный мост
62—64 Второй Инженерный мост через засыпанный Воскресенский канал
65, 66 Мост через засыпанный проток в Михайловском саду
67, 68 Мост Пестеля
69   Мойка у Инженерного замка. Вдали — Первый Садовый мост, справа от него — Нижне-Лебяжий
70   Нижне-Лебяжий мост
71   Первый Садовый мост
72, 73 Фонарь и фрагмент перильной решетки Второго Садового моста
74, 75 У истока канала Грибоедова. Слева — Театральный мост через канал Грибоедова, справа — Мало-Конюшенный мост через Мойку
76, 77 Мало-Конюшенный мост
78   Театральный мост

79 Мойка у здания бывших Императорских конюшен
80 Мойка вблизи Большого Конюшенного моста
81—83 Большой Конюшенный мост
84 Мойка около впадения в нее Зимней канавки. Вдали — Певческий мост, справа — Второй Зимний мост через Зимнюю канавку
85, 86 Певческий мост

ЦЕПНЫЕ МОСТЫ ПЕТЕРБУРГА

87—89 Львиный мост на канале Грибоедова
90—94 Банковский мост через канал Грибоедова
95, 96 Почтамтский мост через Мойку
97, 98 Египетский мост через Фонтанку

АНИЧКОВ МОСТ

99, 100 Аничков мост
101—104 Скульптурные группы Аничкова моста

МОСТЫ НЕВЫ

105 Нева близ Кировского моста
106 Нева у Стрелки Васильевского острова

107—109 Мост Лейтенанта Шмидта
110—114 Кировский мост
115—119 Большой Охтинский мост
120—122 Дворцовый мост
123—125 Володарский мост
126—128 Мост Александра Невского
129—132 Литейный мост

МОСТЫ НАД СЕВЕРНЫМИ ПРОТОКАМИ НЕВЫ

133 Мост Свободы
134 Стрелка Васильевского острова. Справа — мост Строителей
135 Мост Строителей
136 Технический павильон на набережной у Тучкова моста
137 Тучков мост
138, 139 Пионерский мост
140—142 Ушаковский мост
143 На набережной Большой Невки у Ушаковского моста
144 Мало-Крестовский мост
145 На Большой Невке

AND BRIDGES SPANNED THE WATERS' WIDTH...

Second edition

Compiled by *Yevgeny Pliukhin* and *Andrei Punin*

Aurora Art Publishers. Leningrad. 1977

МОСТЫ ПОВИСЛИ НАД ВОДАМИ...

Издание 2-е

Авторы-составители: *Евгений Владимирович Плюхин, Андрей Львович Пунин*

Издательство «Аврора». Ленинград. 1977

Перевод с русского *В. Визи.* Редактор *И. Булакова.* Редактор английского текста *И. Комарова.* Художественный редактор *В. Смольков.* Технический редактор *И. Исаков.* Корректоры *Л. Денисова, И. Стукалина*
ИБ № 405
М 35063. Подписано в печать 8/XII 1976. Формат 90 × 100¹/₁₆,бумага тифдручная. Усл. печ. л. 25,47. Уч.-изд. л. 31,6. Заказ 1596. Изд. № 2993. (5-57). Издательство «Аврора». 191065, Ленинград, Невский пр., 7/9. Ордена Трудового Красного Знамени ленинградская типография № 3 имени Ивана Федорова Союзполиграфпрома при Государственном комитете Совета Министров СССР по делам издательств, полиграфии и книжной торговли. 196126, Ленинград, Звенигородская, 11
Printed in the USSR